bini adamczak

KOMMUNISMUS

kleine geschichte, wie endlich alles wird

JN094131

Kommunismus: Kleine Geschichte wie alles anders wird by Bini Adamczak
Copyright ©2017 uberarbeitete Auflage
This Japanese edition is a complete translation,
through Tuttle-Mori Agency, Inc., Tokyo

みんなのコミュニズム——この世界はどう変わるの？　ちょっとしたおはなし。

目次

コミュニズムってなに？　006
資本主義ってなに？　010
どんなふうに資本主義は生まれたの？　017
労働ってなに？　023
市場ってなに？　032
恐慌ってなに？　041
どうすべきか？　1つめのトライ　048

2つめのトライ 052
3つめのトライ 059
4つめのトライ 067
5つめのトライ 072
6つめのトライ 076
エピローグ 082
日本語版付録インタビュー
『みんなのコミュニズム』の著者、ビニ・アダムザックに聞く 119

コミュニズムってなに？

コミュニズムっていうのは、現在の社会——資本主義社会——でみんなを悩ませている苦しみを全部なくしてしまう社会のこと。コミュニズムがどんな社会になるか考えてみると、いろんなイメージが浮かんでくる。でも、もしコミュニズムがみんなを悩ませている資本主義の苦しみを全部なくしてしまう社会なら、もう苦しまなくてもいいような社会をイメージしてみるといいんじゃないかな？　それは病気の治療にそっくり。

資本主義が病気だったら――そうじゃないけど――、みんなをほどほどに健康にするんじゃなくて、完治させるコミュニズムがいちばんの薬ってこと。でも、ふつうなら病気になる前は健康だよね？　薬の役目は、病気で苦しんでいる人をもう一度健康にしてあげることじゃない？　これはコミュニズムの話にはあてはまらない。だって、今とは種類がちがうかもしれないけど、資本主義が始まる前にも、きっと悩みはあったはずだからね。だから、このたとえがうまくいくのはちょっとだけ。

しかも、コミュニズムはたしかにとってもよく効く薬だけど、万能薬じゃなくて、資本主義の苦しみにしか効かない。もし風邪でせきとくしゃみがひどい時、せき止めを飲んでも、せきが止まるだけでくしゃみは残っちゃう。つまり、コミュニズムはなんでも治すんじゃなくて、資本主義が原因の苦しみだけを治すんだ。

だから、コミュニズムについて考えるために、そしていちばん理想的なコミュニズムのイメージを決めるために理解しなきゃならないことがある。そもそも資本主義ってどんなもので、どんなふうに人間を苦しめてるんだろう？　まずはそれを知らないと！

資本主義ってなに？

いまは、資本主義が全世界を覆っている。資本主義って呼ばれてるのは、それが〝資本〟による支配だからだ。金持ちによる支配や、金持ち階級による支配とはちょっと違う。

たしかに資本主義では、ほかの人よりも発言力の強い人はいるけど、社会のてっぺんに立って、あれこれと命令する王様はもういない。でも、人間を支配するのが人間じゃないなら、いったいなんだろう？　そう、それは物だ。もちろん、文字通りの意味じゃないよ。言わなくたってわかると思うけど、物だけじゃなにもできないし、一人の人間を支配するなんてできっこない。物体にすぎないんだから。ありとあらゆる物が、人間を支配するわけでもない。人間を支配するのは、ある決まった物だけ。もっとちゃんと言うと、ある決まった形態をもつ物だけ、ってかんじ。

これらの物は、空から降ってくるわけじゃない。ＵＦＯみたいに地球にやってきて、人間をレーザー光線で撃つわけでもない。生活を少しでも楽にするために役立てようと、人間が自分たちで作り出したんだ。でも、時間がたつと人間は、これらの物を作り出したのが自分たちだということを忘れ、物に仕えはじめる。どういうことかな？　ちょっとイメージしてみよう。

ある人が机に向かって、メモに「水を一杯飲め！」と書く。彼は数時間後に戻ってきて、その紙を手に取る。すると、自分が書いたことをもう忘れていて、メモの通りに行動しなくちゃ、と考えてしまう。はじめは彼も半信半疑で、近くにいた女性の友達に、こう聞くんじゃないかな？「水を飲まなくちゃいけないの？　マジで？　ぜんぜんのど乾いてないのに」友達は答える。「えー、しらない。まってて、見てきてあげる」彼女は机のところにいって、メモを読む。そして、戻ってくるとこう言うんだ。「そう書いてあるね。水を飲まなきゃ」もしその人が何回もそのメモの近くを通れば、すぐに水の飲みすぎで、お腹を壊しちゃう。そんなふうに、彼は物に支配され、苦しむんだ。

でも、ちょっと変じゃない？　なんでその人は、自分で書いたメモを急に忘れて、しかも自分の字だってわからなくなるのかな？　そう、現実はこのケースよりもちょっと複雑なんだ。人間は一人じゃなくて、社会で暮らし、働いているからね。なので実際には、その人は一人じゃなくて、ほかのたくさんの人たちと一緒にメモを書いてるんだ。それなら、物の支配についてはこの例え話のほうがぴったりくるかも。例えば、コックリさんとか。コックリさんでは、参加者たちが文字で囲まれた円のまわりに座る。円の真ん中にはコインが一枚置かれていて、全員が指を一本ずつコインの上に置く。すると、みんなの手がほんの少し震えるので、コインはまるで見えない手に導かれるように、ゆっくりとある文字から別の文字へと動きはじめる。その人たちは――自分一人の手の震えだけでコインが動くわけないって考えるから――コインを動かしているのが自分たち自身だって気づかない。だから、ほかでもない精霊が秘密の知らせを伝えにやってきた、と勘違いしちゃうんだ。

このたとえ話は、資本主義で人間の生活がどう回っているか、とってもよく表してる。そもそも、コインをずらしているのは人間自身だけど、一人じゃ無理で、みんなが一緒になってはじめてできる。協力作業、つまり、お互いの関係を通じてやっと、コインは動くんだ。ポイントは、実際に参加する人たちがその事実に気づいてないってこと。それは、いわばこっそりと、参加者たちの知らないところで行われる。もしみんなが集まって、コインを動かしてなにを表そうとしているか一緒に考えれば、全然違った結果になるはず。しかも、その文字を浮き上がらせたのはだれなのか、最後には必ずわかっちゃう。でも、笑っちゃうよね。見えない手に導かれたかのように文字が浮かび上がってくるんだから。参加する人たちはその現象を自分たちが納得いくように説明できないから、全然関係のない精霊や幽霊のせいにするんだ。

ようするに、共同の作業や人間関係、労働そのものが問題じゃないってこと。それらがある決まった形態をとるときにはじめて、物は人間を支配する特別な力を手に入れる。共同で文字を書く行為じゃなくって、コックリさんが問題なんだよ。資

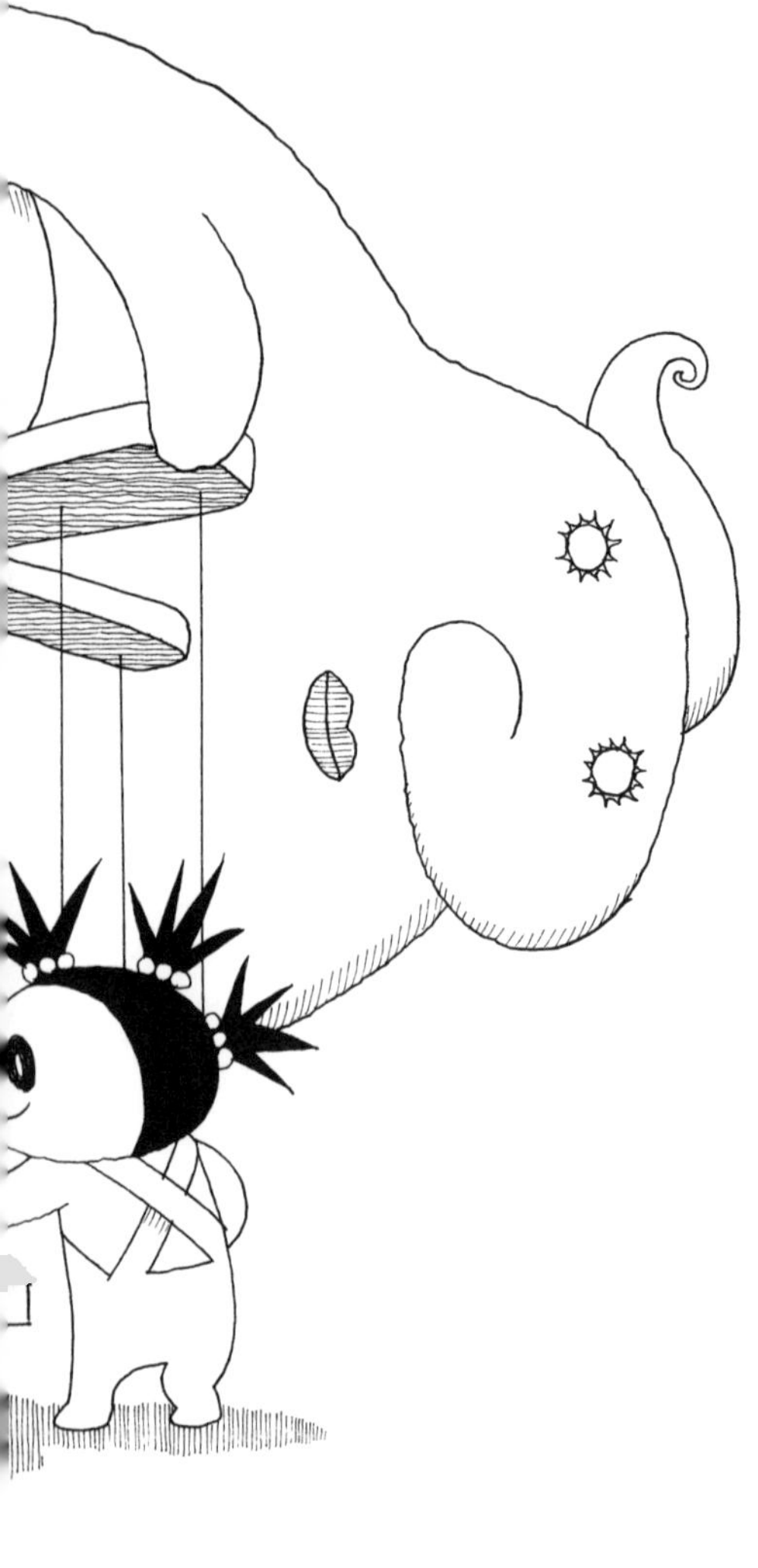

KOKKU

本主義について考えるときもまったく同じ。あらゆる社会が物の支配という特徴をもってるんじゃない。それは、資本主義社会にだけあてはまるんだ。資本主義では、人間関係や労働がある特定の形態をとるようになる。そうなると、物は人間を支配しはじめるんだ。だから、考えなくちゃいけないのはこんな問題。資本主義で人間関係はどうなるんだろう？　それは別の社会の人間関係とどう違うんだろう？

資本主義はずっと続くわけじゃない、ってことを理解し、認識するために——それだけでもう大きな一歩になるはずだ——、そもそも資本主義がどうやって生まれたかを見てみよう。

どんなふうに資本主義は生まれたの？

資本主義には、もう二〇〇〜五〇〇年の歴史がある。最初に発展したのは、ご存知イギリス。当時、イギリスではまだ封建制が支配していた。女王さまや王女さま、たくさんの女官がいたんだ。でも、ほとんどは農民だった。彼女彼らは村でまとまって、あるいは家族で畑を耕していた。機械はなかったし、便利な道具もあんまりなかったから、いっぱい働いたけどすごく貧しかった。しかも、その時はまだ大きな権力をもっていた教会が、農民たちの作ったパンの一〇パーセントを要求したし、女王さまたちはもっとたくさん要求した。さらにさらに、農民たちはときどき彼女たちの宮廷にいって、そこで何時間も働かなくちゃいけなかった。一日中のときもあった。けれどみんな、支配者たちがどれだけもっていくか、いつもはっきりとわかっていた。それに、ほかのことではあまり干渉されなかった。女王さまたちは労働についてそんなにわかっていなくって、農民たちに働きかたを指示するなんてできやしなかったからね。

当時のイギリスはとっても強い海軍をもっていて、世界を相手に華々しく貿易をしていた。毎日たくさんの商船が、イギリスから、アフリカやヨーロッパをはじめ、アジアやアメリカにも出港した。十分に大きな船と、十分に強力な武器をもった商人はそんなにたくさんいなかったから、イギリスの商人たちのもうけはすごかった。例えばアメリカにいって、そこで生活している人たちからあらゆる装飾品を奪いとって、それをヨーロッパに売りさばいた。つぎにアフリカにいって、そこで生活している人たちを連れ去り、アメリカへ奴隷として売りさばいた。商人たちはとても豊かになり、すぐに、身分にあわない贅沢をしはじめた。そう、女王さまたちだって、ただ夢にしかみなかったような贅沢をね。

女王さまたちは、商人たちがびっくりするほど豊かで、きらびやかな装飾品をたっくさん所有してて、ものすっっごい刀剣をもってるってわかると、とても嫉妬するようになった。そして、経済的にとても大きな力をもつようになった商人たちがこれまで以上に政治に口を出しはじめて、自分たちを追い出そうとするんじゃないか、っていう不安におそわれた――やがて現実になるんだけどね。

それで、女王さまたちは熱に浮かされたように、どうすれば自分たちも商人になれるのか考えをめぐらせた。でも彼女たちには、農民たちの暮らす土地しかなかった。農民たちの作るカブでは、大きなもうけになりそうもない。ただそのかわりに、羊毛がかなりのもうけになった。羊毛は、当時ヨーロッパでとても人気だったからね。それで、女王さまたちは臣下を呼び、全土でカブを育てるかわりに羊を飼うよう命じた。でもね、羊ではそんなにたくさんの人が食べていけないし、飼育するのに必要な農民の数はずっと少なくなるでしょ。だから、たくさんの農民が職に溢れてしまった。けど、そんなことはみんな、女王さまたちのしったこっちゃない。彼女たちは、商人たちのもっている豪華な装飾品や立派な刀剣にしか興味がない。それで、農民たちをずっと暮らし働いてきた土地から追い出すために、兵士が送り込まれた。兵士たちはとても乱暴で、農民たちを激しく痛めつけたから、農民たちは

悲惨な目にあった。でも、それよりずっと悲惨だったことがある。いまではもう自分たちの土地にもどれず、これまで培ってきたものがみんな役に立たなくなったってことに、農民たちは気づいちゃったんだ。とにかく、これからどう暮らせばいいかわからなかった。どこへ向かえばいいかわからなかったので、大都市へ引っ越してみた。時代の流れで、そこにはかつて農民だった人たちがとってもたくさん住むようになっていたからね。彼女彼らも同じように、自分たちの土地から追い出されたんだ。土地がなければ耕せないし、もちろんなんにももってないから、売るもんなんてなかった。でも、盗みはだめだ。そんなことしたら、警官にやられちゃう。残るは自分自身だけ。こうして、牢屋に行きたくない人は、同じころに作られるようになった工場にいって、自分自身を売ったんだ。

それからというもの、みんな、資本主義の下で自分自身を売るしかなくなってる——工場は偶然できたわけじゃないんだ。そうじゃないと、お金もないし、食べ物を買えない。でも、みんななにか食べたいので、自分に合うかはさておき、仕事を見つけて働かなくちゃならない。例えばピストルとか、物を作らなきゃいけなくなる。それがつまらないかどうかなんて、どうだっていい。こうやって、人間は物に支配されていくんだ。人間を支配するのに、兵士も警察ももうほとんどいらない。

とすると、資本主義でとっても大事なのは労働ってことになる。それがすべての出発点なんだ。働かない人はなんにも食べられない。しかも、働かないと、ほかの人たちから見下される。自分たちの作ったものを浪費しているだけだと思われるからね。というわけで、どんなふうに資本主義が回っているかをもっときちんと理解するために、この労働ってものがなんなのか、もっときちんと考えてみよう。

労働ってなに？

毎朝、まだ学校がはじまる前、大人たちは工場や事務所に行く。もちろん、午後から向かう人もいれば、夜になってからという人もいる。それどころか、いまでは働く時間を選べる人たちだっている。家で働き、朝ごはんを食べたテーブルを掃除し、洗濯物にアイロンをかける人もいる。でも、そんな違いはどうだっていい。どっちみち、みんな働かなくちゃならないんだから。工場（または事務所）のロビーにつくとすぐに、受付の女性が尋ねてくる。「この工場（または事務所）で働こうとお考えですか?」さて、なんて答えればいいかな？　もしかすると、まったくやる気がないかもしれない。もうちょっと寝ていて、それから友達と朝ごはんを食べたいって思ってるかも。でも、そんな思いはきっと隠すはず。働かないと朝ごはんも食べられない、ってことぐらいわかってるからね。だから、こう返事をする。「ええ、そうです」すると、「かしこまりました」と受付の女性は丁寧に答え、こう続ける。「この工場は、食と住および週に二回映画館に行くのに十分なお金をあなたにお支払いします。ただそのためには、あなたがここで働く限り、おおむね工場の指示どおりに動かなければなりません」そう言われると、こう考えたくなる。「週に二回の映画はいいんだけど、ここで働くと、ほぼ工場の言う通りに動かなきゃいけない……。一日八時間労働だから、一日の三分の一。もし八時間寝るなら、起きている時間の半分。それなら、週二の映画じゃ全然わりに合わないじゃないか」だけど、いまさらどうやって断ろう。すでに「働きたい」と返事をしてしまったし、もう工場（または事務所）のなかにいるんだから。そして、ドアを閉じるとすぐに、工場が話しかけてくる。「この通路にそって進んで、あの右にあるドアのところへ行くんだ。そこに椅子があるから、まずは座って待ってろ」、工場は脅すような声でそう告げる。そして、ちょっと考え込んで、こんなことを言ってきた。「さあ、いったいなんの工場だと思う？　今日は、一二二三個のアイロンを作らなくちゃいけない。だから、おまえにはここで一時間に一〇〇回のペースでこの釘を打ってもらおう」「え、すっごくつまらない作業！　でも、いったいなんで？　なんのために？　アイロンとなんの関係が？　そもそもアイロンは全部必要なんですか？　そんなにたくさんのアイロン、いったいだれがほしがってるんですか？」怒ってそう答えるけど、工場の声はもう聞こえない。工場には、働いている人の質問に答えるよりももっと大事なことがあるみたい。それに、たぶん工場自身も答えを知らないんだと思う。

もちろん、工場が生身の声で話すわけじゃないよ。それは、石と機械とプラスティックからできた一つの工場にすぎないし、口なんてまるでないんだから。でも、またとない変わった声で話すんだ。椅子を例にとって、具体的にイメージしてみよう。ある人がまだ椅子というものを一度も見たことがなく、それがなんなのかを知らないとしよう。その人はこの物体をどう使っていいかわからず、もしかすると、それで火をおこそうとするかもしれない。だけど、例えばだれかに教えてもらって、椅子がなんなのかわかればすぐに、その人も椅子の言葉を理解するようになる。椅子はきっとこう話しかけてくるはず。「ここに座って。そうじゃないよ、寝っころがれないよ。そんなことすると落っこっちゃうからね。ああ、揺らさないで、私の後ろの足がおれちゃうよ」もし機嫌の悪い椅子だったら、さらにこんなひどいことを言

うと思う。「へっへ、苦しめ苦しめ。チクっと、背中を痛めつけてやる」

工場や学校では、だいたい椅子は意地悪だ。椅子はわざと硬くなるから、たった一通りの座りかたしかできなくなっちゃう。あんまり居心地よく感じてほしくないからね。例えば、居眠りなんかもしてほしくないと思ってるんだよ。

人間はとっても大きな工場をとってもたくさん建ててきたから、かなりたくさんの声を聞かなくちゃならない。そんな時、工場や事務所が人間に話すのは、いつも同じ三つのこと。①どうやって、②なにを、③どれくらい作らなきゃいけないか、ってこと。工場はあるグループの働き手たちには、毎晩グループで机を囲んで座り、話し合い、お互いにやりとりをするよう命令する。その一方で別のグループの働き手たちには、一日中一人で家にいて、アイロンをかけるよう命令する。そして、ある人には釘を打つよう命じ、別の人には、コンピュータのオン・オフや、あるテーマに関する工場自身の考えを書き留めるよう指示する。また別の働き手には、ピストルを作らせる。すると、工場はつぎに、量について話し出す。例えば、一時間に一〇〇個の釘を打つ、家一軒分の洗濯物にアイロンをかける、一日にパソコンで五ページ書く、といったかんじで。さらに工場は、その報酬も決める。例えば、釘を打つ仕事には映画チケット一枚、洗濯には支給せず、工場長の仕事には一〇〇枚、ってかんじ。

でも、ある働き手は、一日中一人で釘なんか打つよりも、紙いっぱいになにか書くほうがずっといいと思うんじゃないかな。それも、五枚じゃなくて四枚。また、別の働き手は、いつもアイロンをかけるだけじゃなくって、たまには同僚と机を囲みたい、欲をいえば、全部の作業をちょっとずつやりたいと思ってる。あるときは家でアイロンを、ある時は机に座り、夜中には文章を書く、ってかんじでね。そんなことは思ってないとしても、ピストル担当の働き手が、本物のピストルが苦手だってこともありえるでしょ？

でも、彼女彼らが工場に行って、そんな提案をしようものなら、工場は突然聞こえないふりをして、まったくなにも理解できないかのようにふるまう。そう、やっぱり工場は石と機械とプラスティックでできているから、耳なんてもってないんだ。すると、働き手たちはため息をつき、決められた作業場へと戻っていく。目にしなきゃいけないのは、工場はたしかに人間によって建てられたけど、人間にはまったく興味がないという事実なんだ。働き手が幸せかどうか、なにを、なんのために作っているかを知ってるかどうか、そんなこと工場にはどうでもいい。工場の関心はただ一つ。できるかぎりたくさん作り、売ることだけ。だから、工場が働き手の幸せを望むのは、ただそれによって売り上げが増えるときだけ。そうなると、働き手は幸せになるはずなんだけど、実際はそうならない。でも、たくさん売れる。それだけが、工場のたった一つの関心。というのも、もし工場がたくさん販売できれば、もっとたくさんの働き手を雇い、もっとたくさんの機械を買うことができるからね。そうなれば、もっとたくさんのアイロンやテクスト、ピストルを作れる。すると、工場はもっとたくさん売れるってわけだ。

工場は人間に関心がないけど、人間は工場の関心を気にしなくちゃいけない。そして、工場はただ売買だけに関心をもってる。だとすれば、そこにはとても重要なことが隠されてるんじゃないかな？

なので、工場がどう動いているのかをもっときちんと理解するために確認しなくちゃいけないことがある。売って、買って、また売るという行動を実際に繰り返すときに、工場はなにをしてるんだろう？　売買するために、工場は市場に足を運ばなくちゃいけない。でもそれは、果物を売っている村の小さな市場ではない。工場には、とてつもなく大きい特別な市場があるんだ。じゃあ、もっとくわしく見ていこう。

市場ってなに？

市場で売るために、工場はまずなにか作らなきゃいけない。なにか作るには、いろんな材料がいる。そう、ケーキを焼くときのようにね。ケーキを焼くには、①卵と小麦粉、②オーブン、③一人のシェフが必要だ。でも、わたしたちの工場はケーキを焼きたいんじゃなくて、アイロンを作ろうとしてる。てはじめに、工場はとてもたくさんのブリキを買う。大きな袋にいっぱいの釘も一緒にね。さて、ブリキと釘からアイロンを作るには、巨大なアイロン製造機が必要だ。だから、工場はさらに、三台の巨大なアイロン製造機械を買う。すでにもってるなら買わなくてもいいけどね。さあ、いま工場には、三台の巨大な製造機と大きな袋いっぱいの釘、そして厚く積み重なったたくさんのブリキがある。でも、どうやったって物は勝手に動いたりはしてくれない。そこで工場は、先ほど話した働く人たちが必要だと考える。働き手を仕入れる特別な市場として、労働市場がある。そこで売られてるのは、専用の工場で前もって訓練を受けた人たちだ――学校や養成所、家族という工場で。なので、工場は労働市場に足を運び、思い通りに注文できる。きっとこんなかんじ。「こんにちは。釘を打つ人を二二人とブリキを曲げる人を六人、アイロンがきちんと動くかどうかも確認したいので、アイロンをかける人も一人探しています」最後に工場は、機械とブリキと釘と人間からアイロンを作るためのレシピを考えるデスクワーカーを二人と、工場の望み通りに働いているかどうか見張る工場長を一人ほしがる。工場は彼女彼らに尋ねる。「わたしのために働いてくれませんか?」返事が返ってくる。「ええ、よろこんで」この流れはすでに見たとおりだね。

ようやく工場は家に戻り、新しく仕入れた人間を、ブリキや機械、釘と一緒に毎日八時間工場に閉じ込める。しばらくすると、最初の焼きたてのアイロンが工場からできあがってくる。工場はこれらのアイロンをもってもう一度市場に行き、それを売る。でも、今回は工場は労働市場にいかないで、アイロン市場に、あるいはアイロンだけじゃなくって、いろんなものを取引する市場のほうに向かう。もしアイ

ロンが売れれば、工場はお金を手にする。そのお金で、機械やブリキ、釘やアイロンを作る人たちを新しく買える。すると、この新しい機械やブリキ、釘やアイロンを作る人たちで、新しいアイロン、つまり、前よりずっとたくさんのアイロンを作れる。そして、それを再び売ることができるんだ。

そんなふうに、工場がアイロンやほかの物を取引する市場で、いつもの夢にふけっていると――新しい機械やブリキ、釘やアイロンを作る人たちでもっとたくさんのアイロンをつくろう――、突然、事件が起きる。その工場のわりとちかくに、正確にいえば真正面に、別の工場が建っていて、そこでもアイロンが売られてるんだ。「どんなかんじか、もっとじっくり見てみよう」、わたしたちの工場はそう思い、もっとじっくり観察する。すると、その工場の値札が目に入ったので、こう思った。「一度値札をみてやれ」って。なんてこった! なんと、その工場は自分より安くアイロンを売ってたんだ。とっても安いわけじゃないけど、それで十分。だって、そこのアイロンの方がよく売れるからね。「マジか……」、わたしたちの工場は思った。ふつう工場というのはひどく嫉妬深い。わたしたちの工場は、その工場が自分より安く、つまり、たくさん売るのを許せない。その工場のことが嫌いなんだ。そもそも工場は、自分以外のみんなのことが本当に嫌い。自分のところの働き手も、ほかの工場も。売買を続けていくことにしか、工場は喜びを感じない。機械とブリキ、釘とアイロンを作る人たちだけが、たった一つの夢なんだ。さて、わたしたちの工場は別の工場のところへ行って、こんなふうに言うことだってできるかもしれない。「ああ、お願いですから、どうやってそんなに安いアイロンを作っているのか教えてください。わたしもそうできればと思っているんです」または、こんなふうに。「なんだ、君もアイロンをつくってるんだね。おいで、いっしょにやろう。そのほうがお互いのためになるでしょ?」でも、ふつう工場がこんな考えに行き着くことはまずない。あったとしても、もう一つの別の工場を怒らせるためだけだろうね。

こんなかんじで、わたしたちの工場は腹をたてる。家に帰ると、二人のデスクワーカーのうち一人を呼び、なにをしたらいいか聞いてみる。デスクワーカーは答える。

「いまより安く、早く、たくさん作らないといけません。コストを削れば、いまより安く売ることもできます。例えば、デスクワーカーは一人で十分です。二人もいりません」「すばらしい！」と工場は返事をして、その人をクビにする。あくる日、工場はアイロンを作る人たち（デスクワーカーが一人いない）のところへ行って、こう告げる。「今日から君たちには、一週間に一度映画に行けるだけのお金しか払わない。もうひとつ。これからは、毎日一時間多く働くんだ！」働き手はこのお知らせをちっともよく思わないけど、現実をよく知ってる。そう、働き手が工場と話そうとすると、工場はいつも耳を貸さないっていう現実をね。なので、働き手は決められた作業場に戻っていくんだ。

やがて、工場はもう一度市場へ行き、安くなったアイロンを自慢げに見せる。そして「みなさん、こちらをご覧下さい。このアイロンはそこにあるものよりもずっと安いですよ」と語って、金属製の大きな手で先ほどの工場を指差す。なんて嫌なやつ！　結果は、工場の思った通り。いまでは、アイロンを買うために、お客さんがみんなわたしたちの工場にやってきて、別の工場の売り上げはだんだん下がっていく。わたしたちの工場は喜ぶ。わたしたちの工場はアイロンを売りながら、窓の形をしたその大きな目をときどき閉じる。そして、新たに手に入れたお金を全部使って、どんなアイロン製造機やブリキ、釘やアイロンを作る人たちを新しく買うか、夢を見る。でも、そこでわたしたちが目にするのはなんだろう？　あーあ、別の工場が、いまではもう売りさばけないアイロンの上で、すっかりふさぎこんじゃった。よく見れば、大粒の煤《すす》の涙が煙突から流れてるね。ただでさえ、その工場は借金を抱えていて、状況はそんなによくなかった。でも、わたしたちの工場が自分より安いアイロンを作っているいまでは、その工場が自分のアイロンを売るチャンスはない。だけど、もう売れないんなら、機械やブリキ、釘やアイロンを作る人ももう新しく買えない。なので、その別の工場は、とってもとっても悲しんで、倒産する。そう、こんなにもはやく。でも、この工場は倒産するので、働き手全員を、つまり、その別の工場で働いていたアイロンを作る人たち全員をクビにすることになる。すると突然、その人たちはみんな失業者になる。その人たちは働くことにとっても退屈していたけど、実際に仕事を失ってみると、思ってたほど幸せじゃないみたい。だって、いまではもうお金はないし、映画に行くなんてもってのほかだもの。

さて、以前はこの二つの工場の働き手たちは週に二回映画館に行けたけど、いまや片方は週に一回だけ、もう片方は一回も行けなくなっちゃった。でも、もう贅沢に映画を見れないんなら、アイロンを買うこともできない。すると、問題が発生する。

アイロンのように、物はますます増えていくのに、もうだれにも買えない状況になっちゃうんだ。でも、なんでそんなことになるんだろう？　それを理解するには、いったいどんな問題が起きているのか確認しなくちゃいけない。この問題は、恐慌って呼ばれてる。

恐慌ってなに？

さて、わたしたちの工場は、この前の二倍の量のアイロンを用意して市場へやってくる。こう考えたんだ。「別の工場は倒産した。やった！　いままでは、この前そこでアイロンを買っていた人たちがみんなこっちにくるんだ。ってことは、この前の二倍の客がいるはずだから、アイロンも二倍用意しなくちゃ」でも、アイロンを含めいろんな物を取引する市場にやってきたとき、わたしたちの工場を待ち受けていたのはなんだっただろう？　なんと、アイロンを買おうと思ってる人がもうほとんどいない！　わたしたちの工場とあの別の工場に起きたことが、とてもたくさんあるほかの工場にも同じように降りかかったんだ！　アイロンだけじゃなく、ピストルを作るところなんかもあって、工場はかなりたくさんあったからね。とってもたくさんの人がいままでは週に一回しか映画館に行けないか、あるいはもう全然行けなくなっちゃったから、アイロンなんてもういらない。そのかわり、家で映画を見た

　恐慌ってなに？

いから、テレビやＤＶＤプレーヤーを買うようになる。同じじゃないことぐらいわかってるけど、「なんにもないよりましだ」って思ってるんだ。さて、映画に行けないだけじゃすまなくなって、しっかりごはんを食べられない人たちもでてくる。彼女彼らはトマトや卵を買う。工場に投げつけるためだ。いまではそれがいちばん必要な行動みたい。でも工場からすれば、いまトマトはなんの役にも立たない。トマト工場じゃなくって、アイロン工場なんだから。工場はアイロンの上に座り続けている。二倍の量のアイロンをもってきたのに、売れなかったから、二倍の借金を抱えてしまう。ってことは、わたしたちの工場も倒産。そこで働いていた人たちもクビ。

こうなると、もうなんにもなくなる。工場もなければ、ブリキも釘もないし、アイロンを作る人たちもいない。そのぶんアイロンがたくさんあるけど、そんなものもうだれもいらない。大変なこと――地震や戦争、教皇来訪など――は全然起きてないのに、突然みんなぼんやりと座りだした。お腹は空くし、暇だし……。アイロンをコンポートにしようとする人たちだっている。けど、それもそんなにうまくいかなさそう。「もし工場の命令を聞いてなかったら、いまごろサラダを食べてたのにな」、そんな声が聞こえくる。ある人はこう言う。「ここにある物を全部みてみなよ。そもそも、自分たちの役に立つように、こいつらを作ったんだよね？　こいつらはどんどん厚かましくなって、こっちが仕えなきゃならなくなった。それで、いま、いっぱいのアイロンの上にぼんやり座るはめになったんだ」つづけて、心から怒っている人が叫んだ。「このがらくた。いまわしい物の……、物の支配だ。こうなると思ってたよ！」

いま彼女彼らは、アイロンの上にぼんやりと座り、資本主義について考える。すべて資本主義のせいだ、ってことにようやく気づいたみたい。「あーあ、全部無駄だったな」、彼女彼らは考える。「資本主義のせいで不幸になった。資本主義なんて、ずーっと長い間うまくいってなかったんだ」ある人が叫ぶ。「しかも、もうほんとに長い間――つまり、二一〇〇～五一〇〇年の間――資本主義は続いてきた。もうお腹いっぱい。なにか新しいことをはじめよう！　変化がなくっちゃ！」「でも、どんな？」となりの人が尋ねる。それからしばらく、みんなしーんとなっちゃった。考えに考えてるんだ。この質問の答えをなんとしても知りたいからね。

そのとき突然、また一つの考えが思い浮かんだ。「コミュニズムだ」、そんな声があがった。「コミュニズムって、資本主義で人間を悩ませている苦しみを全部なくしてしまう社会のこと。コミュニズムを実現しなくちゃ！」「もちろん、賛成！」、みんなそう叫んだ。そして、手の平でおでこをたたいた。いままでこの考えが全然でてこなかったから、腹がたったみたい。「ああもう！　どうしてもっとはやく思いつかなかったんだろう？」、そう自分たちに問いかける。

さあ、わかったことは二つ。一つめは、資本主義では幸せになれないってこと。二つめは、コミュニズムなら幸せになれるってこと。それなら、コミュニズムを取り入れることに決まり。でも、それは全然簡単じゃない。人間の歴史のなかで、正しい形のコミュニズムなんてものはまだ一度もないから、そもそもコミュニズムってなんなのか、だれも正しいイメージをもてないんだ。彼女彼らができるのはただ一つ。どんなコミュニズムが理想的か、いろんなイメージを抱くことだけ。でも、もしコミュニズムが資本主義で人間を悩ませている苦しみを全部なくしてしまう社会なら、なるべく苦しまなくていい社会がいちばん理想的でしょ？　とすると、いちばん優れたコミュニズムのイメージを見つけ出すには、どんなイメージだったら資本主義の苦しみがすべて――ほどほどに、とか言っちゃだめ――なくなるのか見なくちゃならない。トライしなくっちゃ。「いろんなイメージを順番に試すのがいちばんんだ」、彼女彼らは言う。「じゃあ、実際にやってみようか！」

さあ、さっそくはじめよう。

どうすべきか？　1つめのトライ

「まずは」、その人たちは言う。「そもそもなんでうまくいかなかったのか考えなくちゃ。もしわかれば、改善もできる。すぐに全部を変えなくってもいいからね」アイロンの上に座りながら、社会がこんなにも豊かなのにだれもあやかれてないなんて、とっても残念だって感じてる。とってもたくさんのアイロンがあるのに、だれも買えない。週に二回映画館に行くだけのお金だってないんだから。「そうだ！　もっとお金があれば、アイロンも買えたんだ。もしアイロンが買えてたら、工場も必要なお金を手にいれ、新しいアイロンを作れたんだ。ってことは、工場は、機械やブリキ、釘やアイロンを作る人たちを新しく仕入れようとしたはず。そうなれば、こっちも職を失わずにすんだのにな」でも実際には、その人たちはほんとにちょっとしかお金をもってなかった。工場が取り上げたからね。じゃあ、どうやってお金を集めたらいいのかな？　「工場が働き手からお金を取り上げたんなら、その人たちにお金をもう一度返してあげなきゃ」、そう提案する人がいた。「いい考え。でも、どうやって？」となりの人が答える。すると、別のところから返事が聞こえてくる。「寸胴鍋を一つ用意するのはどう？　自分の所持金からちょっとずつ、その大きな鍋に入れるんだ。でも、たくさんもっている人は、大金を。少ししかない人は、小銭で。そのあと、このお金を鍋から取り出し、もう一度配って行く。ただし逆のやり方でね。所持金の少ない人はたくさん、所持金の多い人はちょっとだけ受け取るってかんじ」別の人がこういう。「もっと楽な方法があるよ。その鍋から、売れ残っているアイロンを直接買うんだ。そっちのほうがいいんじゃない？」

さあ、はじまった。みんな、寸胴鍋のなかにお金を入れていく。ただし、鍋とは呼ばずに、国家と呼ぼう。その方がいい響きでしょ？　彼女彼らはまた週に二回映画に行けるようになる。行っても週に一度、あるいはまったく映画館に行けない人がまだ何人もいるけど、それはもう問題じゃなくなる。話は簡単で、その鍋、っていうか国家が残りの映画チケットを買ってくれるんだから。アイロンの場合もそう。

アイロンを一台ももっていない人はまだまだいる。でも、それに対処するために、いまでは鍋があるってこと。その鍋、っていうか国家が、手の届かないものをすべて買ってくれるから、工場も十分なお金を手にして、映画チケットを売る人たちや、アイロンを作る人たちにとてもたくさん仕事を提供できる。また工場で働けるから、いまではみんな幸せ。

そんななか、「でも、まってよ。そうはいっても、工場での仕事は全然おもしろくないでしょ。前と同じで、とってもつまらない」って声が聞こえてくる。実際にいままでも、工場が望むやり方と量にきちんとそって働いている。実は、大して変わってなかったんだ。「こんなはずじゃなかった」、みんなが口をそろえて言う。そして、首を横に振ってこうつぶやく。「だめ、だめ、こんなのコミュニズムじゃない」

2つめのトライ

その人たちはまたその場に座り込んで、考えをめぐらせた。もう余ってるアイロンはないけど、ブリキや釘、機械と工場はそのまま。みんな、悩みに悩んで考える。ふと、ある人が口を開く。「アイロンを作るだけじゃなく、どんなふうに作るかも重要なんだ。重要なのは、働くことそのものじゃなくって、どんな仕事をするかじゃない?」「うん、そのとおり!」となりの人が叫んだ。「仕事がちっとも楽しくないなら、働いたってしょうがない。例えばわたしの場合だと、一日中一人でぐるぐる回らなくちゃいけないんだ。となりの人は一晩中、グループでテーブルを囲み、座っていなくちゃいけない。ほかの人たちだって、いっつもじっくり考えるか、工場長の役をこなすよう命令されてるんでしょ?」みんなは言う、「それじゃ前に進めない」ってね。「いつ、どんなふうに、どれだけ働くか。工場のいいなりになんかなるもんか。今日からは、それを自分たちで決めよう!」

さあ、はじまった。みんなは再び工場に戻っていく。でも今度は、もう工場のいいなりじゃなくって、自分たちの思うように取り組む。もう工場はそこで働く人たちのもの、ってことを示すために、窓に赤と黒で描かれた小さな旗がかけられる。毎朝働き手たちは大きな円になって座り、理想的な働き方を考える。一人一人が、いちばんやってみたいことを選べる。だれがなにをしてもいいんだ。ただ、工場長だけはもういないよ。みんなが全部の仕事をこなせるようになるには時間がかかる。ブリキを曲げたり、釘を打ったり、デスクで考えたりと仕事はいろいろあるし、いつも同じ作業をする方がずっと簡単だからね。でも、みんなだんだん身につけていく。最初のアイロンができあがるまで、そんなに長くはかからない。今回は、アイロンにとってもたくさんの愛情が注がれたし、どれもちょっとずつ違うデザインになってる。小さなハートや星が描かれたものなんかもある。

しばらくして、十分な数のアイロンができあがったとき、アイロンを作る人たちは心に決めた。いまこそアイロンを市場で売るべきだ、ってね。自分たちで全部使

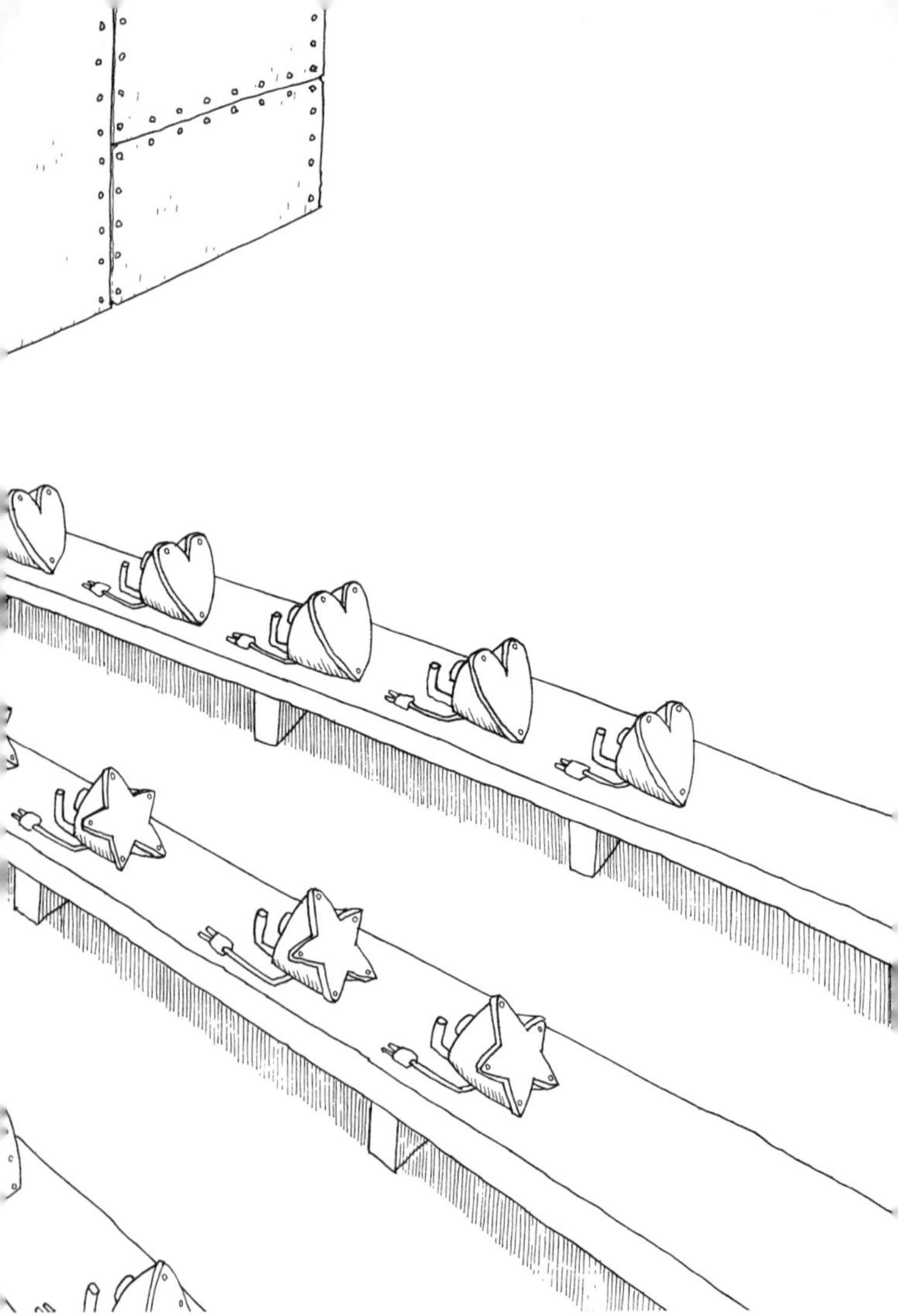

い切れないぐらい、とってもたくさんのアイロンを作ったからだ。もちろん、売ることだけを担当する人はもういないから、アイロンを作る人たちは、自分たちのなかから二人市場に行く人を選ぶ。ただし、次回は別の人が行くようにして、みんなが一度は担当するっていう約束をした。

あくる朝、その日アイロンを売りにいくのに選ばれた二人の働き手が、市場へ足を運ぶ。でも、到着すると、別のアイロン工場からも二人が売りにやってきていた。その人たちは、前と同じように、自分たちよりアイロンを安く売っていた。わたしたちの工場の働き手たちは、「えっ、ずるいずるい！」って叫んだ。そして、別の工場の人たちに話しかけて、もっと高い値段でアイロンを売らなきゃ、って伝えた。さあ、どうなったと思う？　別の工場の人たちは、こっちの言い分を聞いてくれないんだ。「もうみんな自由なんだよ」、ってその人たちは言い張る。「だから、自分たちの工場では、アイロンをどれくらい安く売るか、自分たちで決める。それに、君たちよりも市場までくるのに時間がかかるからさ、交通費を計算に入れなくっちゃいけないんだ」

帰ってくると、わたしたちの販売人たちはとっても悲しくなってきた。ほかの働き手たちの前に座り、自分たちの体験を説明する。すると、彼女彼らもとっても悲しくなっちゃう。「あーあ」、みんながこう言ってる。「この工場でやっていきたきゃ、もっと安く作らないとね。じゃないと、だれも買ってくれなくなっちゃうよ」自分たちですべて決めるようになってから、このアイロン工場で働く人たちは稼いだお金を全部、大きな寸動鍋じゃなくて、小さなポットに入れて、工場内でお金をわけていた。でも、もしアイロンをもっと安く売るんなら、あんまりたくさんお金を使うことはできないよね？　だから、二人の働き手とお別れすることに決める。「さらに」、みんなは言う。「工場長を一人選んだ方がいいかも。次になにをしたらいいか教えてくれる人をね。もちろん、いつも同じ人じゃだめ」そこで、みんなのなかから工場長が一人と、工場を去る人も二人選ばれる。くじで決める。もちろん、公平に決めるべきだからね。

次の日、選ばれた二人のかわいそうな働き手は、荷物をまとめ、工場を去っていった。仕事をなくしてしまったんだ。ほかの人たちは、お別れのために集まり、ハンカチで見送った。涙の音が聞こえてくる。みんなとっても悲しい気持ちだったけど、それでもその二人は去らなくちゃいけない。どうしようもない。これから、二人はピストル工場に行かなくちゃならない。そこならまだ、働き手を募集しているそうだ。

残された人たちは集まって、こう言った。「こんなはずじゃなかった。たしかに工場には自由があり、なにがしたいか一緒に決められた。でも、市場に行くと、また競争にまきこまれて、自分たちの物を売らなくちゃならない。たとえ、別の工場を困らせることになってもね。そして、働き方を決めることはたしかにできたけど、なにを作り、どれくらい必要か、って問題はほったらかしだった」そうして、みんなは首を横に振って、こう言う。「だめ、だめ。こんなのコミュニズムじゃない」

3つめのトライ

みんなはもう一回集まって、じっくりと考える。でも今回は、人数が前よりもずっと多い。わたしたちのアイロン工場だけじゃなくて、別の工場や、映画チケットの工場からもきてるんだ。それだけじゃなくって、ピストル工場からも。人数がとってても多いので、自分の意見を聞いてほしいときは、しっかりと大きな声で呼びかけなくっちゃ。そして、数が増えただけじゃなく、みんなちがう人間になっていた。そう、性格が変わっていたんだ。工場長なしで、いろんなことを自分たちだけで頑張ってきたでしょ？　だから、前より賢くなっていたんだ。しかも、なにに取り組みたいかを毎朝一緒に決めていたから、お互いの意見に耳を傾けることもできた。気に入らないことがあれば、すなおに伝える。もう自分たちと関係のない者のために考えることなんてできない。自分たちにとっていちばんいい方法を考えることができるんだ。なので、わりとすぐに、理想のコミュニズムについて最初のアイデアが浮かんだ。「もちろん、工場はこれまでとってもうまくいってた」、みんなが言う。「みんなで集まってたくさん話し合い、全部一緒に決めてきたからね。もう工場のいいなりじゃない。自分たちの望むように、工場の方が動くんだ」「でも市場では」、こんな声が聞こえてくる。「全然違ってた。こんな話ばっかりだった。〈アイロンを一つください〉、〈アイロンはいくらですか?〉、〈こういったアイロンはありませんか?〉。それで、こっちはいつもこんな返事をしてた。〈どうぞ〉、〈このアイロンは〇〇円です〉、〈申しわけありませんが、そうしたアイロンはご用意がありません〉。こんなやりとりばっかりだったんだ」それにはみんな腹をたてた。だれにも、どんなことにももう支配されたくないし、ましてこんなやりとりになんて、絶対に支配されたくないからだ。「しかも、アイロンと映画のチケットをどれくらい作ったらいいか、まったくわかんない。どれだけ必要とされているか、全然知らないからね」ってみんな言ってる。誰かが答えた。「そうだ! 必要とされている物を作ってた幸運な工場もあったし、だれも買わない物を作ってた不運な工場もあったよね? そんなんだから、片方は豊かに、もう片方は貧しくなっちゃったんだ」もちろん不公平。みんなは腹をたてる。だって、平等にお金を手にするために、それぞれの工場で小さなポットを設置していたんだから。でも、ポットっていうキーワードで、一つの解決策を思いつく。そういえば、ポットを取り入れる前、国家と呼ばれる大きな寸胴鍋ってのがあったよね？　それが使えるんじゃないかな？「まだ自分たちには、全部の工場をまとめる大きな寸胴鍋、って方法がある」、そうみんなは言う。「もってるお金を全部その鍋にいれるのはどうだろう？　そこから平等に配ってもらうんだ」「いいね！」、賛成の声があがる。「ほんとにフェアな方法だね！」「でも、もっときちんと約束をしておかなくちゃ。自分たちの作った物が実際に必要とされているかどうか、市場に行ってから確認してちゃ遅すぎる。鍋のお金を集めて配る人たちが、みんなの間でなにが必要かってこともチェックするのがいちばんじゃない？それだと、お金を集める人たちは、どれくらい作らなきゃいけないか、それぞれの工場の人たちに伝えられるでしょ？」

さあ、はじまった。あくる日のお昼に働き手たちが工場にやってくると、願い事カードがもう用意してあった。鍋の管理者たちが置いたんだ。いまじゃみんながこのカードに、ほしいものや、必要な物を書くことができる。管理者たちはこのカードを回収し、正確に集計する。そして、みんながほしいものはなにか、どれくらい作らなくちゃいけないかを、各工場に伝える。月末になると、みんなは全員ぴったり同じ額のお金を鍋からもらう。でも、いまではみんな、その鍋を、国家じゃなくって鍋と呼びたがってる。そう、ただの鍋であってほしいからね。こんなふうに、みんなが同じ量を買えるようになる。一週間毎日映画に行ける人はもういない。一週間に一回しか行けない人もいない。そうじゃなくって、みんなが一週間に五回映画に行けるんだ。みんな映画が好きだから、嬉しいよね。お昼に作った物を、夜に残さず食べる。鍋の管理人は、物の管理以外なにもしない。そうしてみんなは、しばらくすばらしい時間をすごした。

でも、やがて鍋の管理人たちは、願い事カードの回収に工場へやってくるとき、だんだん悲しい顔をするようになる。みんなの望みを全然叶えられないからだ。望みを叶えるのに十分な量が作られていないんだ。なので、管理人たちは工場の人たちに伝える。いまよりももっと働いて、たくさん作り、カードの願いを叶えられるようにしなくちゃならない、ってね。それに、カードに書く願いは減るんじゃなくって、増えていくから——みんなの願い事はたっくさんある——、これからはずっと、いままでよりももっと働かなくちゃいけなくなる。仕事の量だけじゃないよ。これまで以上にスピードも必要。そうなると、工場の人たちは苦しくなってくる。だって、仕事のあいまにダイスゲームをしたり、ちょっと居眠りをする時間すら、十分にないんだもの。でも、鍋の管理者たちは、もっと頑張れって言ってくる。資本主義の時と同じように、だんだん工場の人たちは、疲れてきて、退屈しはじめる。もちろん今度は、集まってこんな話をするはず。「こんなにたくさん働きたくない。とにかく、なんで願い事をもうちょっと遠慮しないの？　そうすれば、そんなにがんばらなくてもいいんだよ？」でも、工場か映画館に集まっても、みんなは関係ないことを話したがる。そう、自分たちの望みについては、願い事カードをたよりにしないともう話せないんだ。なので、なにが必要で、どれだけ作らなくちゃいけないかをみんなで一緒に決められない。みんな自分のためだけに決めようとするんだ。すると、だれ一人、願い事を遠慮しようなんて思わなくなる。ほかの人たちはもっとたくさん願い事をもってるから、どっちみち、かなりたくさん働かなくちゃいけない、って思っちゃうからね。

どれだけ必要で、どれだけ作らなくちゃいけないかわかってるのは、鍋の管理者たちだけだ。管理者たちも人間だから、願い事もある。だから、回収し、山のように積まれた願い事カードのいちばん上に自分たちのものを置きはじめる。最初はたまに、絶対にわからないようにしてたんだけど、どんどん回数は増えていき、最後にはいつもそうするようになった。そんなわけで、鍋の管理者たちの願いがいちばんたくさん叶えられるようになってしまった。全体を見渡しているのは管理者たちだけなので、なにをどれくらい作る必要があるか、自分たちで調整できる。そうして、彼女彼らはますます力をもち、豊かになっていく。一方で、工場にいる人たちは、ますますたくさん働かなくちゃならないし、望みもめったに叶えられなくなる。

そこで、みんなはこう言うんだ。「こんなはずじゃなかった。自分たちで全部決めたいと思ってたのに、いまでは鍋の管理者たちだけが決めている。そして、みんなで一緒に話し合うかわりに、願い事カードで話し合っている」「そうだ、そうだ!」、とっても怒ってる人がいる。みんなは、たくさんの仕事で痛めた背中をさすっている。「たしかに、前のように物にはもう支配されなくなった。けど、そのかわりに、またもや人間に支配されてる。そんなに変わってないじゃないか」そうしてみんなは、首を横に振り、こう言う。「だめ、だめ。こんなのコミュニズムじゃない」

4つめのトライ

みんなはもう一回映画館に集まる。でも、今日は映画の上映はなし。その方が、きちんと考えて、話し合いができるでしょ？　そういうことも大事なんだ。コミュニズムを築き上げるのは、決してそんなに簡単じゃないからね。「楽なんてできっこない」、集まった人たちはこう考える、「物の支配をなくしたいんなら、人間が人間を支配するなんてことがもうないように注意しなくっちゃ」。「そうだ！」、返事が聞こえる。「コミュニズムって、資本主義でみんなを悩ませている苦しみを全部なくしてしまう社会のことだよね？　でも、それ以前の社会にあった苦しみにもう一度悩むことにも、注意しなくちゃいけない。そう、鍋の管理者たちは女王さまたちのように行動したんだ！」するとみんなは、ある一つの願いにすべての集中力を注いだ。鍋の管理者や工場長、女王さまはもうこりごりで、これからは人間には支配されたくない、って願ったんだ。「とってもたくさんの物を作り、たくさんの望みを叶えてきた。それはとってもよかったんだけど。でも、まだ労働がじゃまだな」ってみんなが言ってる。こんな提案が聞こえてくる。「まあ、労働をなくしてしまうのがいちばんじゃない？」「いいね！　とってもいい考えだ！」、賛成の声が上がる。「どうしてもっと早く思いつかなかったんだろう。かわりに機械に働いてもらおうよ！」

さあ、はじまった。人間のかわりに、とにかく機械が働く。もう問題はなにもない。だって、職を失う不安なんてもうないんだもの。逆に、みんなは喜んだ。遊ぶ時間が前よりも増えたからね。みんなは言う。「これまで生きてきて、自分たちは工場の人間でしかなかった。でも今日からは、楽しんで遊べる人間になったんだ」いままでは、みんなすっかり豊かになったし、ますますたくさんの物が作られている。例えば、前だったら豊かな人だけがもっていたような物や、資本主義では想像もつかなかったような物なんかがね。みんなは、遊びを楽しむエキスパートになった。でも、ちょっと優秀になりすぎた。ちょっとなまけものになりはじめたんだ。もうそんなにほかの人たちと会わないし、あんまり話し合いもしなくなった、ってこと。でも、そんなの必要ないでしょ？　機械が全部やってくれるんだから。いちばんは、寝っころがって、暇をもてあましているとき。口を開くと、ぶどうジュースが口まで直接運ばれ、空からは鳩型おかからクッキーが飛んでくる。でもね、みんな、心から幸せってわけじゃなかったんだ。

そうやって寝そべってると、気になることができてきた。またまた、これらの物だけが中心になって、すべて回っているんじゃないかな？　どうやったらこれらの物を十分に役立てられるか。それだけが、ただただ重要だと思われているんだ。しかも、工場ですべてのことに取り組んでいたときに培った、新しくてすばらしい能力は、もうすでになくなってる。「自分たちで全部やりたいと思っていたし、もうだれにも、どんな物にも支配されたくなかった」、そうみんなは言う。「いまではもう、なんにも協力して取り組んでない。みんな、物だけを使って話してるんだ」すると、みんなは首を横に振り、こう言う。「だめ、だめ……」、でもそれから先は言えない。口を開けば、鳩型おかからクッキーがやってくるからね。

5つめのトライ

いまみんなは、鳩型おからクッキーと、ぶどうジュースのシミ、映画チケットの間で寝そべってる。ゆっくりと立ち上がって、ちょっと考えてみようとする。でも、もうそんなにきちんと考えられなくって、また資本主義の時と同じくらい鈍くなってしまいそうだった。だから、最初のほうの提案もまだ、ちゃんと閃いたアイデアじゃなかった。例えば、こんなかんじ。「とりあえず、みんなが平等に物を手にいれた。だから、もっと働こうと思う理由がなくなっちゃった。それで、みんなこんなになまけものになったんだ。きっかり自分たちで作ったぶんだけ物を手にするっていうのが、いちばんいいなって思うよ」

さあ、はじまった。でも、ちょっと待って。ゆっくりと、みんなの目が覚めてくる。いままでは、なにか気に入らないことがあったら、いつでもそれを伝えられるんだ。「でも、その提案は全然よくないよ」、ある人が叫ぶ。「ほかの人たちと比べて、たくさん、すばやく働くことができない人たちだっている。それに、そんなに高望みしてなくって、そんなにたくさんの物は全然必要じゃない、って人もいる。特にすばやく、たくさん働きたいと思い、そうできる人が、ほかの人たちよりもずっとたくさんの物を手にいれるとすれば、それは不公平なんじゃない？」「そうだね！」、返事が聞こえてくる。「しかも、すべてがまた、このいまいましい物を中心に回っている。一人の人間がどれだけ作り、どれだけ手にいれるか、それが中心になってるんだ。どんなふうに暮らしたいか、という問題は、また大事にされなくなってきた」そうやってみんな、このいまいましい物に強い怒りを感じ、ハンマーを手に取って、かたっぱしから壊しにかかった。でも、とってもたくさんあったので、かなり時間がかかった。なので、終わるころには、みんなヘトヘトで、とりあえず座らなくちゃならなかった。いま座ってるのは、アイロンや鳩型おからクッキー、映画チケットの上じゃない。そうじゃなくって、壊れたアイロンや鳩型おからクッキーのかけら、破れた映画チケットの上に座ってるんだ。前より暮らしがずっとよくなったわけじゃ

ない。でも、みんなこれまでよりずっと行儀よくなったみたい。いっつもおじぎをしてるんだ。でも、ただそう見えるだけ。もっとちゃんと眺めてみるとよくわかる。そう、ただイチゴを取るために、ずっと体を曲げてるだけだったんだ。物が全部なくなれば、急にとっても貧しくなるからね。いま、空腹を満たすためにみんながてきるのはただ、イチゴを摘むことだけ。痛む背中をさっと起こし、首を横に振ってこう言いだす。「だめ、だめ。こんなのコミュニズムじゃない」

6つめのトライ

でも、そうやってるうちにみんなうんざりしてきて、こうつぶやく。「もういやだ」そのあと、みんなでまたとっても長い間座り込んで、ゆっくりと考え合う。今回は世界中のみんなと一緒に決めたいから、まず電話とインターネットを使えるようにする。中身のつまった話し合いが数日間続き、みんなはこう言いはじめる。「そう、コミュニズムっていうのは、資本主義の苦しみを全部なくしてしまう社会のこと。だから、資本主義の苦しみを全部なくさなきゃ。ほどほどってわけにはいかないけど、そんなに難しくないんじゃない?」「そうさ!」、受話器から叫ぶ声が聞こえる。「実際、もうちょっとでコミュニズムはうまくいったんだ。ただ、人が人を支配しないように気をつけなきゃね。それに、物による支配にもとくに気をつけなきゃ。工場やアイロン、市場や映画チケットとかね?」「じゃあ、どうすればいいの? みんなで物を壊したとき、状況はもっと悪くなったよね?」、そんな質問もでてくる。地球にはとてもたくさんの人が暮らしていて、いまではたくさんのことが話し合われているからね。その質問の後はまた、しばらく静かになる。とっても集中して考えなきゃいけないからだ。すると、とつぜんみんなはこんな考えにたどりつく。「コックリさんと同じだ! そうだ! たしかに、コインがなければコックリさんはできない。でも、わたしたちがいないほうがもっと問題だ。そう、コインは見えない手に導かれてるんじゃなくて、みんなの共同作業によって動いてるんだから」「そうだ そうだ！」、ほっとして叫ぶ声が聞こえてくる。「その通り。わたしたちが、工場や アイロン、映画チケットなんかを全部作った。つまり、それらの物はわたしたちの一部なんだ。だから、望めばいつだって何度でも、それらの物を変えることだってできるんだ」「そうさ！」、みんなは声をはりあげる。「それがわかればもう大丈夫。今日からはもうアイロンを作る人も映画チケットを作る人もなし。あたりまえだけど、ピストルを作る人もね。工場で働く人のかわりに人造人間が生み出されるようになって、その次は、人造人間のかわりにサイボーグが登場するようになるんだ。すると、もう工場に閉じこもって働かなくてもよくなる。みんななんでもできるし、どこにでも住めるようになるんだ！」

さあ、はじまった。これからは、たくさんトライして、遊んで、学ばなくちゃならない。みんな地球上で起きてることを全部理解し、苦しみになる場合にはそれを変えるつもり。これまで、いろんなことに取り組んできた。でも、まだできることはとってもたくさんある。とくにいまでは、みんなはいつも顔を合わせて話し合ってる。全部自分たちで議論して、鍋の管理者みたいな他人には、どんな決定ももう絶対に任せたくないからね。管理者たちはもういない。決定を任せるんじゃなくって、好きな時に、自分たちで全部変えていく。「なにが必要か一緒に決めて、その後で、だれがなにを作りたいか考えるんだ」、そんな声が聞こえてくる。「だめだ、その逆じゃないと」、返事が返ってくる。「どれだけの時間、どれだけの速さで仕事をしたいか、まず確認しようよ。そもそも働きたいかどうかもね。その後で、どんな望みがそのやり方で叶えられるのか考えていこう！」もちろん、みんなの意見はいつも同じってわけじゃない。その逆。みんなすこしずつ違ってて、前よりもその違いははっきりとしてるんだ。でも、うまくやっていけるはず。それに、そんなにたくさんの違いがあるのはいいことじゃない？　そうじゃないと、すぐに退屈しちゃうでしょ？　みんなはもう首を横に振らない。「だめ、だめ」って言わずに、こんなふうに話すんだ。

「やあ！」

「なんだ？」

「おーい、そこの君！」

「なんだ、だれを呼んでるんだ……わたしかな？」

ほら、次のページに、こっちを見てる人たちがいる。こぶしを挙げて、呼びかけているね。どうやら、とっても怒ってる人もいるみたい。

「そう、まさに君のことだ。君を呼んでるんだ。おはなしはこれでおしまい。これからさきのことは、みんなの力で決めていこう。これは、わたしたち全員の物語なんだから――いまみんなで築き上げているものなんだ」

エピローグ——コミュニズム的な渇望を構築するために

「歴史の終わり」は終わった。フランシス・フクヤマが一九九二年に「歴史の終わり」を告げたとき、考えていたのはほかでもない。リベラル資本主義以外の選択肢がなくなった——それも永遠に——ということだ。まもなく、ブルジョア的イデオロギーであるこの物語は挑戦を受けた——一九九四年チアパスのサパティスタや一九九九年シアトルのグローバル化運動、二〇〇一年ジェノア・サミットでのデモによって。しかし同時に、その物語は疑いなく現実を表してもいた。それは、物語への批判により裏書きされた。というのも、歴史上のどの時代を取っても、「今とは違う世界を実現できる」という合言葉が、こんなにも人々を誘惑して、路上へ連れ出すことなどなかったと思われるからだ。以前に人々を駆り立てた問いは、数ある可能性の中でどんな世界がいちばん理想的で、いつそれが到来するのか、というものだった。それに対してソ連崩壊時に提起されたのは、いま存在している世界に取って代わるものがそもそもあるのか、という問いだったのだ。かくして「歴史の終わり」は、ソ連の崩壊後に認識され、その一〇年後、二〇〇一年のアメリカ同時多発テロで再確認された、世界史の現実を表している。その現実は、競合する政治家たちが自分たちの立場を示す際に重要となる、政治の中心的な議題を変化させた。よりよい未来への希望にかわって、現在の世界が悪化することへの不安が姿を見せたのだ。大多数の人たちの生活をますます悪化させる現在の世界は、永遠のものとなった。

「歴史の終わり」を迎えた現在、前史の終わりについて、すなわちコミュニズムについてどんな記述が可能なのか？　そもそも、ポストコミュニズムの時代に——時宜をわきまえない、無力なパトスに身を委ねることなく——コミュニズムについて記述することはまだできるのだろうか？　それが、二〇〇四年にこの本の初版が出版された時の問いだった。歴史はもうコミュニズムの味方ではないように思われた——実際、しばらくの間そうだった。なので、自然法則と同じように、歴史法則も自然にできあがったものと捉え、勝利を確信する客観主義的風潮は時代錯誤のものになった。そう、扇動的なマニフェストや革命的なポップソングにある道徳的な物言いが大げさだったのと同じように。歴史の客観的な歩み、すなわち敗北の経験から、もうだれも、大きな身振りに夢中にならなくなった。これが、「大きな物語の終焉」に関する真実なのである。衝動的な身振りや、叫び声は、演説するバルコニーの手すりにすぐ引っかかり、聴衆のいない庭に落ち込んでいくだろう。聞き手のいないところでは、叫ぶ必要もなかった——演説を鏡の前で行っても意味がないのだから。

一九九〇年以降、コミュニズム的なテクストが置かれた根本的な状況は、もはや反コミュニズムのイデオロギーではなかった。そうしたテクストは、理論武装によってシステムをめぐる闘争へと変化した階級闘争に、もはや関わることができなかったし、その必要もなかった。コミュニズムが、よりよく、よりすばらしく、より機能的で、より理性的な社会であるかどうか、そんな問いはもう議論の対象ではなかった——コミュニズム自体がもう議論の対象ではなかったのだから。なので、その問いに答え、コミュニズムの実現可能性を証明する前に、やるべきことがある。コミュニズムを思考可能で、さらにはイメージ可能なものとして描かねばならないのだ——それを望むことができるように。

もし「コミュニズムが、現在の状態を止揚する現実の運動であるとすれば」(Marx 1990, 35)、そうした運動が存在しない場合、コミュニズムはどのようなものでありうるのか? コミュニズム的な批判を行う運動は、それに適うコミュニズム的な運動が存在しない場合、どうすればよいのか？　身体を失った理論に補助器具で動く人工的な身体を与えるには、なによりもまず、純粋な批判に徹するという禁欲的行為をやめる必要があったのではないだろうか？　でも、針金とシリコンでできた身体を与えるために？　どんなものであれ教訓的で教育的な戦略がまったく検討されないうちに、言葉は単純化され、手の届く日常的で陳腐なものとなってしまった。歴史的状況こそが、そうさせたのだ。もしコミュニズム的な批判が、苦々しい否定行為に、亡霊と化した、マルクス解釈の純然たる教義――夢や願いを持たず、セックスアピールにも訴えないもの――に収まるつもりがなかったのなら、分析のためのメスと論争のための爆弾の入った道具箱を大きくして、要求を有機的に組み立てる用具を入れておかねばならなかった。あのコミュニズム的な渇望を、きちんと構築する必要があったのだ。

しかし、そうした記述は必然的にユートピズムの罠にかかるのではないか？　よりよき生への切望は、その願いが生み出される、「現在」という条件に常に侵されてしまっているのではないだろうか？　たしかに、願望や夢、欲求は（理念や観念、定理と同じく）、社会的矛盾から糧を得て、少しずつ現在に対するプラスアルファをもたらしてくれる。けれど、それらが完全に解放されること、つまり基盤となる物質的な諸条件から完全に離れることはありえない。別の現実、すなわち、別の社会的組織についての思考やアイデア、イメージにはなりえないのだ。こうして、コミュニズムとはどんなもので、どういう形態をとるのかという問いは、いつもこんな疑いにさらされている。コミュニズムは、現に存在するもの（資本、政治、主体……）を現在のあり方を超えて拡張していく試みなのではないか、と。その疑いはもっともである。ユートピア的なファンタジーが常に孕んでいる危険は、実現することが大切な計画を立て、到達することが大切な規範的な理念を提起することにある。そうして、未来のイメージが未来のモデルになり、その記述が押し付けがましい指示となる可能性があるのだ。

そうした事情を考慮せねばならない。諸力の歴史的な関係性は、渇望をきちんと構築するよう迫る。それは、日常のあらゆる裂け目に——コントロールされた地下鉄から世界的な貧困の管理体制にいたるまで——よりよい世界を具体的に表現できる渇望であり、社会的な痛みを経験するあらゆる瞬間に別の生き方を求める渇望である。しかし同時にこの渇望に対しては、これ以上ない広い歴史的知識と、これ以上ない深い理論的批判を駆使して、こう問わねばならない。それはどういった点で袋小路に陥っているのか、と。それはひょっとすると避けられるかもしれないのだ。コミュニズムへの渇望をコミュニズム的な渇望に変えるために、補助器具として予言が必要だとしても、この種の渇望がコミュニズム的でありえるのは、ただ次のような場合に限られている。それがあらゆる支配的な状況において新しいものであり、そうした欲求を腐敗させ、減少させようとするあらゆる傾向に抗して、現在よりもずっと多くの望みを抱くことができる、ということを示す場合だけだ（vgl. sinistra! 2003）。

未来の闘い——争われる未来

コミュニズムとはなにか？　みんなが同じ報酬を受け、市民的な平等原理が物質的に満たされた社会だろうか？　批判者たちが口にするような、みんなを均一化し、貧しく、悪い状態にする社会。つまり、成果を上げようとする意欲を奪ってしまうので、「怠け者」に報酬を与え、「勤勉な人」を抑えつける社会だろうか（1つめのトライ）？　それとも、生産手段が平等に分配され、その使用者が同時に所有者であるような社会。つまり、貨幣を廃止することで、みんなが自律的に生産し、公平に交換を行うようになる社会だろうか（2つめのトライ）？　もしくは、コミュニズムとは、生産手段の所有が廃止され、階級差がならされた社会。しかしながら、生産に関わった分だけ一人一人が社会の財産から分け与えられる社会、つまり十分な「労働収益」を——搾取され、削減されることなく——与えられる社会だろうか？　働くものがすべてを有している社会、すなわち、労働者の社会だろうか（3つめのトライ）？　コミュニズムとは、世界に溢れ、疎外された——資本主義下で人間の所有欲を目覚めさせ、人間を本質から遠ざける——あらゆる消費財に別れを告げる社会だろうか？　つまり、生産力の向上ではなく、人間の真の欲求を重視する社会だろうか（5つめのトライ）？　それとも、コミュニズムとは、貧困が取り払われ、豊かさがどこからでも湧き出てくるので、もはや分配をめぐる争いがなく、政治の役割が事物の管理だけになった社会だろうか？　労働に歴史上の終わりをもたらし、万人に富を実現する社会。口を開けていれば、シャンパンが流れこんできて、（ポスト）分子ガストロノミーと呼ばれる食事（vgl. Dollase 2009）が飛びこんでくる社会だろうか（4つめのトライ）？　コミュニズムとは、対立がもう存在しない社会、調和がとれ、静止した社会だろうか？　あるいは、前史が終わり、人間の歴史がはじまる社会だろうか？　そうなれば、なにかに頼ることなく、人間は自らの歴史に対して意識的になりはじめるだろう。すると、ようやく政治の始まりを告げるような社会だろうか？　というのも、人間はそこでようやく、自立化した構造や死んだ労働（機械）の支配から自由に、あるいは事物に強制される状況から脱して、自らの運命について決定できるのだから（6つめのトライ）。ということは、ラディカル・デモクラシー的な社会だろうか？　それともコミュニズムとは、個人のモナドがつぶされ、孤立状態が終わる社会だろうか？　特殊が普遍に包摂される社会が問われているのか？あるいは、ぼんやりした普通という考え方をいったん止めることで、非同一的なものを解放し、同一性の圧力を打ち破る社会が問われているのだろうか？　コミュニズムにおいて人間という集団的主体は、どのみち世界はもともと作り手である人間のものだと言い張り、世界を不当に支配することで自分を取り戻すのか？　あるいは、コミュニズム的な社会とは、共同の労働では生み出すことも、表現もできず（vgl. Nancy 1988）、決して人間的な本質を実現も表出もできないような社会だろうか？　コミュニズム的な共同体、あるいは社会は、社会的なものを管理するというよりもむしろ、歓迎する術を身につけているのか？　つまり、コミュニズムとは不当支配というよりもむしろ、「脱・不当支配」（Derrida 1994）であり、中心もなければ統一もない、〈統一なき共同体（community without unity）〉なのだろうか（vgl. Haraway 1995）？　そこでは、物や人間、動物などが新しい形で関係を結ぶとされる。

コミュニズムの構想は、知らないうちに何倍もの数になった。コミュニズムから多くの流派が生まれた。それらは、コミュニズム的な多元主義が実際に存在することを示すだけでなく、コミュニズムの概念が争われていて、政治的論争の場を生み出しているという事実を示している。これら互いに対立し合うコミュニズムの構想は、きわめてリベラルな、あるいは権威主義的なコミュニストや社会主義者、反体制派によって主張されてきたし、現在も主張されている。このように、コミュニズムはいつも資本主義の単なる否定にとどまりはしない。それは最初の瞬間から、別のコミュニズムの流派や社会主義的なユートピアへの批判へと、未来をめぐる論争へと巻き込まれているのだ。

にもかかわらず――そしてそれゆえに――コミュニズムの概念は、少なくとも資本主義社会により引き起こされる苦しみを、単にやわらげるだけでなく、すべて克服する試みとして一応理解できる。その上で、そのつど構想される対抗イメージが、どの程度資本主義支配のモデルに囚われているか、という問いを手掛かりに、反資本主義的なユートピアに関する言説を再構成し、分類できる。そして、ユートピアの根底をなす資本主義批判が、資本主義の立場からの資本主義批判として——資本主義の特定の契機を理想化し、ほかの諸契機と対抗させるために、苦しみを生み出す性質を歪曲する資本主義批判として——捉えうるものであるなら、ユートピアは、現存するものの望ましくない構成要素を引き継ぐものであることが判明してくる。反資本主義的なユートピアは、どんな理想を描き、どんな資本主義経済の領域をモデルにしているのかという問いをもとに、実に大まかではあるが整理できるのだ。

エピローグ　さまざまな批判の批判、さまざまな否定の否定

流通

単純な商品生産の理想を尺度にする資本主義批判は、内在批判という古典的形式

に従う。それは、フランス革命の理念である自由と平等を、それが不十分にしか実現されていない現実と突き合わせる方法だ。その限りで、資本主義批判は、ブルジョア経済をベースにしてブルジョア経済を批判するのである。ナジャ・ラコヴィッツが示したように、批判の根底にある自由の構想は、リベラルでブルジョア的なものであり、個々人の否定的な自由であり、集団的な強制圧力からの自由、すなわち共同作業からの自由なのである。自由が肯定的に定義されるとき、念頭に置かれているのは消費の自由（あるいは生産の最も小さな組織レベルでの自由）である。個々人が、どの生産物を買うか自由に決定できる必要がある。同様に、生産の方式に関して、いかなる社会的合意や計画にも影響されず、個別に、自由な決定をくだせる必要がある。それと並行して、平等の考え方には、経済の次元で均衡モデルに翻訳される等価の考え方が採用される。それは、互いに無関心な商品所有者たちの平等である。その人たちの需要と供給は、理想的な形でバランスを保つ。流通の領域から考えられた資本主義批判に問題が生じるのは、ブルジョア社会の現実が、それ自身に内在する理想にそぐわなくなったときなのだ。

　そうした批判は、交換や価値、すなわち売るための生産——自分が消費しないものを私的に生産し、自分が生産しないものを私的に消費する——にこだわり、労働力という商品の売買も等価交換として、平等なもの同士の関係にあると考える。なので、流通に対する批判にとって、剰余価値の発生は、等価原則に対する単なる違反として——欺瞞として——しか現れない。しばしば貨幣、あるいは金融市場が、この欺瞞に関与しているとされる。その独自の力学が、貧困と富の溝をますます広げていくというわけだ。

　こうした立場は、経済のレベルに話を限っても、擁護できない。流通主義もまた、市場にこだわることで、貨幣を問題にしていないのに経済危機の可能性を引き入れてしまう。というのも、ある生産物の価値はあらかじめ決まっているのではなく、あとから、つまり、販売されるときになってはじめて現実のものになるからだ。市場向けの生産という条件のもと、市場それ自体のなかではじめて、どんな需要があるのか、そもそも生産された商品に需要があるのかどうか、という問いが姿を現す。しかしそれとともに生じるのは、経営上の計算に失敗した私的生産者たちが倒産・破産する可能性だけではない。同じように、停滞や過剰生産、過剰蓄積など、端的にいえばあらゆる種類の資本主義の恐慌が起る可能性があるのだ。剰余価値の生産や諸階級の再生産に関わる問題を度外視したとしても――いまこの点に触れる必要はまったくない――、私的生産がはじまると同時に競争がずっと続くことになり、刺激だけでなく、なるべく安く生産し、競争相手を押しのけ、賃金を下げ、蓄積のスパイラルを始動させねばならないという圧力に晒され続ける。そうしてまたもや、流通主義が貨幣の排除、あるいは管理によって除去しようとした問題が生まれてくる。

肯定的にとると、流通主義的な批判による市場の是認は、強制的なコミュニティー形成への不信感、つまり、個人に対する集団の計画的干渉への強い不信感から糧を得ている。各人が自由で平等な人間として互いに接する流通領域は、個人の自由を高いレベルで保証すると考えられている。その際、商品関係が物神化されることで、生産と再生産の社会的性格は抜け落ちてしまい、それらがただ技術的・経済的にのみ不可欠と見なされてしまう。そのような物神的な視点で捉えきれないのは、市場は個人の具体的な力を一時停止させ、それを単に抽象的な力に置き換えているに過ぎない、という事実である。最終的には、個々人の相互依存は、商品生産によって減少せず、際限なく、世界的規模で増加する。しかしながら、物象化しているこの相互依存は、お互いに理解し合えるような、形成的なやりとりからはいつも遠く離れている。付言しておくと、資本主義の社会形態を包括的に変革し、民主主義的に新しく構築しようとする試みは、リベラルな市民社会論者たちにより、全体主義の疑いをかけられる。それは、ある歴史的な正当性を持ってはいる。しかしそうした理論家たちは、自分たちの自由と平等のイメージがブルジョア資本主義的なものであることを認めようとしない。なので、流通領域が資本主義経済のほかの領域と媒介されていることにも気づけず、流通領域の維持に不可欠なすべての支配関係を再生産せざるをえないのだ。

生産

おそらく、生産領域の観点からなされる資本主義批判が、もっとも支配的な反資本主義の批判戦略だろう。流通主義は、おもにリベラル左派に位置し、そのためしばしば反コミュニズムの立場をとる。それに対して、ここで扱う生産の物神化という問題は、伝統的な国家社会主義の現象である。古典的ヴァリエーションでは、生産に関連する資本主義批判は、労働と資本を二元論的に直接対置することで機能する。その際、労働は――それが資本主義により形態を規定されているという事実を無視して――非歴史的・人類学的であると同時に、不可避で、意味形成的であり、楽天的な進歩史観により歴史形成的な特徴を与えられる。一方で、資本は非生産的で、単なる非労働と見なされる。資本は、単に労働力の剰余労働を不当に取得しているからだ。批判の中心的カテゴリーは、首尾一貫して搾取であり、それは分配の観点から捉えられる。資本主義の克服は、資本家階級からの法的・国家的徴収として構想される。そうすれば、社会の非生産的要素が取り除かれ、あらゆる人が労働者になるというわけだ。

こうした観点では、労働そのものが資本主義に規定されているという点を見落としてしまう。そして、不当所有を、法的あるいは倫理的カテゴリーでしか考えられなくなる。生産力と生産関係の関係は、労働と資本の関係に重ね合わされ、単に所有関係として構想される。その際、資本主義的労働に特有の性質も、生産と剰余生産の公理である成長に社会が縛られることも、問題にされていない。モイシェ・ポストンは、こうした伝統的な政党的コミュニズムの考えに、核となる資本主義的カテゴリーがどの程度受け継がれていて、引き伸ばされているかを示した（vgl. Postone 1993）。抽象概念としての労働は、非歴史的な実践ではない。資本主義的生産様式の形成によりはじめて、一般に社会的現実になるような実践である。工場とともに、すなわち、職場や労働時間が社会を貫くようになってはじめて、生活領域と労働領域が分断される。季節や天候、伝統的な慣習や労働対象への欲求から独立した抽象的な時間の構築は、その分断にとって不可欠な前提である。それを押し通してきた歴史は、規律の歴史と分かち難く結びつく。しかし、労働の抽象化に必要なのは、自由時間からの分離だけではない。そのためには、生産を再生産から分離する必要もあるのだ。労働を資本主義的に構築する際についてまわるのは、二つの分離された領域である生産領域と再生産領域の形成である。それらは、知識・活動・感情に関わる二つの異なる複合体を必要とし、二種類の異なる主観性を要求する。その主観性は、ジェンダー化され、二分法で捉えられることになる。

そのため労働の非歴史化が意味するのは、労働の歴史的で特定的な一つの形態、つまり、労働の資本主義的概念が存在論で捉えられてしまう、ということである——実際には、そもそも資本主義下ではじめて「労働」について語ることができるのだが。この抽象的な労働は、ほかの領域と切り離され、再生産のようなほかのあらゆる契機からも拭われ、抽象的な時間に支配され、量化可能で、正確に測定可能である、という意味で抽象的なのだ。抽象的な時間とともに、価値や等価の論理も同じく引き継がれるし、平等や正義といったブルジョア的な考えもそうである。しかし労働は、利用不可能なあらゆる契機が取り除かれるという意味でも、抽象的なものとして歴史に登場することになる。剰余価値にならないすべてのものから分離されねばならない、ということだ。伝統的なマルクス主義は、「労働」を資本に対する肯定的な対抗概念にすることで、資本主義社会の一つの契機をこの社会につきあわせる。しかし、その契機自体は資本から生み出され、その法則に従うものなのだ。

消費

生産に焦点を当てる反資本主義に対して、消費の見地からなされる資本主義批判は、比較的新しい戦略である。というのも消費は、早くは一九世紀のパリ・ボヘミアンたちに、その後は一九二〇年代の文化批判論者たちにより特別な価値を認められていたが、フォーディズムの展開によりはじめて、プロレタリアートをも含む大衆現象となったからだ。そして、商品が実際に革命の幸福の約束の担い手とったのは、一九六〇~七〇年代にフォーディズムの危機が生じてからのことだった。その約束は、労働階級を統合する、車・家・テレビというプチブルジョア的な理想を超えていた。資本蓄積を取り戻した戦後資本主義と、それに連動したプロイセン・プロテスタント的倹約精神という社会的性質が危機に陥ったとき、文化的な革命が、資本に対しても、その批判者たちに対しても、新たな領域を切り開きはじめたのである。セクシュアリティーや快楽主義がタブーではなくなり、新しい市場やマーケティング戦略が生まれた。そうして、新たな蓄積のスパイラルが動き出したのだ。再生産に焦点をあてることで、新たな政治闘争の領域（住居、家庭、パーティー）が開かれると同時に、工場という生産領域の歴史的な敗北が明らかになる。カーチャ・ディーフェンバッハが示したように（Diefenbach, 2003）、消費に着目する資本主義批判はまさに、こうした一連の反乱と統合の動きのなかに位置づけられる。

消費領域の見地からなされる資本主義批判の議論は、批判は資本主義に遅れをとってはならない、というものだ。なので、そうした批判は、あらゆるピューリタン的で、禁欲主義的で、エコロジー的な理念と対立する。社会民主主義的な合言葉である「労働の権利」は、マルクスの義理の息子であるパウル・ラファルクの表現を借りれば、「怠惰の権利」へと姿を変えた。それに呼応して、発展を続ける生産の機械化や自動化が歓迎される。生産の発展と労働時間の減少により、消費の可能性が広がるからだ。こうした批判は、主に、自ら解き放った幸福の約束を——とくに大規模には——請け合うことができない資本主義を非難する。

たしかに「みんなが贅沢を!」という合言葉は、社会的富から世界の過半数が排除されている状況を批判している。しかし、この富がどんな形をとるかは不問にされている。それにより、健康やエコロジーに関する問題がフェードアウトするだけではない。とりわけ、消費モナド——消費の個人主義——が採用され、消費領域と生産領域の分離が前提にされるのだ。しかしこの前提により、先述した機械化もまた、自らが宣言した開放的な目標を捉え損ねてしまう。なぜなら、そもそもだれかが機械の処分権を持ち、その開発に携わり、プログラミングを行っている、という事実を無視しているからだ(vgl. Biene u. a. 2005, 97f.)。その際、消費領域は、流通領域や生産領域と同様、現代資本主義の産物となる。客観的に見れば、その領域の構築は、生産した商品の需要を生み出し、蓄積を続けるために不可欠である。主観的には、疎外された労働を補完するものとして不可欠なのだ。労働が、単に体力を消耗する行為として、単なる苦労や義務として下位に位置付けられる一方で、お客様は女王として召喚される。一見、彼女たちの選択の自由はただ量的に（口座残高に）制限されているだけのようだ。しかし、質的には三つの選択肢しか残されていない。購入するか、購入しないか、盗むかである。労働は、生産過程の持つ強制力への屈服と、ヒエラルキーにより特徴づけられる。その一方で、値段のついた商品は、他者の労働時間をコントロールする力を所有者に与える。そうして、値段のついた商品はいつも、男性的な自律という物神を担い続ける。なので、消費そのものは生産から分離された領域の一つである、という考えに固執すると、包括的な社会の解放と対立してしまう。生産品ないし商品は、例えば質や持続性、特異性の点で、象徴資本の担い手としても（ブランド・差異化・規格化）資本主義社会の内部で形成されていくという事情を無視するにせよ、そうである。消費の見地からの資本主義批判は、資本主義のもとで商品の幸福の約束が持つ、イデオロギー的な機能を引き継いでいる。それによって、社会全体で、逃避への欲求（余暇・ショーウィンドウ・テレビ）をなくそうとする努力が遮られてしまうのだ。

現在はどうなっているのか？「ぜひともネガをポジにしたい」さまざまな立場、さまざまな広場

多様に存在する資本主義批判への批判はこれで終わりにする。では、コミュニズム的な立場から、たくさんの資本主義批判や、それと結びつくさまざまな（コミュニズム的）ユートピアを――いかに不十分であるかを基準に――体系化できるだろうか。それに、資本主義的見地（流通・生産・消費）から主張されていることを、そもそもコミュニズム的な立場から批判できるだろうか。もし可能であるならば、そうした体系化や批判は、自らの立脚点がどこにあるのか、という問いに答えねばならない

だろう。すなわち、コミュニズム的な非・場所、すなわち不在はどういった場所を指し示しているのか、という問いである。しかし、コミュニズム的な立場は本来一つの立場でありうるのだろうか。あるいは、コミュニズム的批判という運動にとって、静的な立場の規定は、まったく不適切なのではないか。むしろコミュニズム的批判は、点から線へ、線から面へと揺れ動きながら、ときには立ち止まったり、散歩をしてみたり、走り出したりするのではないだろうか。

『ミニマ・モラリア』のなかでアドルノは、立場の問題、すなわち規範性の問題に対して、矛盾に満ちた答えを与えている。

「救済の立場にたったときに現れてくる形で、あらゆる事物を観察する試みこそ、絶望を前にしてなお責任を果たすことのできる唯一の哲学だろう」(Adorno 1970, 333)。しかし、それは「まったく不可能である。現存するものの呪縛から逃れるような立場を、ほんのわずかでも前提とするからだ〔……〕」(同上、334)。この観点は、思考様式としての立場を完全に放棄しているわけではない。そうした立場を、過去(起源・初期コミュニズム・母権性）や超歴史性（自然や人類学）から未来へと移し替えているのだ。希望は、資本主義的な社会編成の不条理さや不必要な残忍さを、後世の人たちが必ずや目にするという予想のなかにある――かつて実際に信じられていたことが（性の二元論・円盤形の地球という発想）、今日から見ればかなり非現実的で奇妙に映るように。アドルノにとって、未来の立場を取るという要求の解放的な契機は、まさにその不可能性にあった。その不可能性が、無制約という幻想から思考を守るのだ。なぜなら、思考の自由というイメージこそ、ブルジョア社会の境界を――無意識に――押し広げてしまう基盤となるからである。「思考は、自分自身の不可能性をも、自らの可能性のために把握していなければならない」（同上、334）。外部に足場を持つ立場は不可能だが、そうした立場を取らねばならないというパラドックスのおかげで、批判者たちは、自らが作り出すものを物神化せずにすむ。つまり、解放的な社会を具体的に示すという、ユートピズムの幻想を回避できるのだ。コミュニズム的立場は、到達不可能なものとして構想されることで、資本主義の地盤にとどまらなくてもよくなる。しかし、この防御策はどれくらい安全なのか？　アドルノが宣言し、宣言せねばならなかったように、本当に未来は現在の影響を受けていないのか？　過去と現在の関係のように、現在はつねに未来へと手を伸ばしているのではないか？　未来のイメージは、実際の未来があらゆる現在の変化（変化＝未来の生産や可能性の実現、および多様な可能性の創出と排除）とともに変遷するのと同じように、変化するのではないか？　そして、もし救済としての未来が現在の苦悩を否定した先にあるのだとすれば、未来と未来のイメージは常に変化せねばならないのではないか？　こうした否定は、否定されるべきものが変化するとき、そのままでいられるのか？　もし資本主義的な現実の外部に位置する立場、すなわちコミュニズムが、歴史の影響を少なからず被り、そうならざるをえないのなら、図像化禁止の原則そのものも思考の物神化をともなっていることになる——手つかずで不可分、汚れなき超歴史的なものとしてコミュニズムを措定することになるのだから。「未来」や「解放」、「救済」についてのアドルノの語りは、ある認識を覆い隠していないだろうか？　それは、こうした概念は一つとして一〇〇年前と同じではありえないし、そうあってはいけないのであり、今日のコミュニズムは一〇〇年前とはいくらか異なり、明日のコミュニズムは今日のものとはいくらか異なる、という認識である。「コミュニズム的批判は、諸力の関係性の変化に無関心ではいられない。それは時代的な核を持っている。コミュニズムと呼ばれるものは、そのつどの歴史的状況において、新たに規定されねばならないのだ」（diskurs 1/03, 3）。

アドルノにとって、外部に位置する立場の矛盾を孕んだ規定は、未来の立場が完全に不可能であると同時に、「なによりも簡単である」ことを同時に意味している。「なぜなら、状況がそうした認識を避けようもなく呼び求めるのであり、一度きちんと捉えれば、完全な否定は、その反対物の鏡文字へと結晶するからである」（Adorno 1970, 334）。しかし、この結晶化は生じないし、少なくとも、決して自然には生じてこない。否定、あるいは否定的な状況を思考の上で否定すれば、自動的に一つの立場をとることになるわけではない。資本主義の批判や、限定的な資本主義批判の批判から、その反対像が——反現実主義的な影像が——演繹的に得られるわけではない。極めて鮮明なネガであったとしても、写真の現像方法が一通りだとは限らない。感光や視点、技術次第で、何百もの多様に異なるイメージが生まれてくるのだ。意外に思われるが、このように図像化禁止を止揚する契機は、まさにアドルノにより与えられている。彼はエルンスト・ブロッホとの対話のなかでこう語っている。「というのも、具体的なイメージが私たちに禁じられることで、非常に悩ましい問題も生じてくるのです。第一に、望むべきものに関して、それがただ否定的にしか表現されないとすれば、それだけ一層具体的なイメージを抱くことができなくなってしまいます。しかしそうなると、おそらく事態はずっと不安なものになります。ユートピアの具体的な表現の禁止が、ユートピア的な意識それ自体を貶め、本来重要であること、すなわち、別様であろうとする意志を飲み込んでしまう方向に向かうのです」(Adorno 1978, 364)。ここで、アドルノとフーコーの思考が出会う。フーコーは、ある対話のなかでこう語っている。「私の意見では、今日の知識人は、一九世紀と同じレベルで望みを抱けるように、革命のイメージを描く役割を担わねばなりません。〔……〕そのためには必ず、人間関係の新しい様式、つまり、知識の新しい様式、欲求や性生活の新たな様式が作り出されねばならないのです」(Foucault 2003, 114)。なので、コミュニズム的な渇望をさしあたり人工的に対象化し、そうした対象化により、今度はコミュニズム的な渇望が生み出されるようにするには、言葉で表現し、描きあげる確かな勇気が必要となる。問題はたくさんある。望みを実行に移さなければ、それだけ望みも(なにかを真剣に望むことも)減っていくからである。そして、なにを望んでいるか全然知らなければ(知ろうとしなければ)、そもそも願いは叶えられない。実行可能なことの範囲が望みうることの境界をも規定するのなら、願いは望むに値するものとなるだろう。だから、まずもってなにか願いが生み出されねばならず、求められねばならない。渇望を渇望すること。コミュニズム的な渇望とは、最終的に悲惨な状況を終わらせることなのだ。

しかし、コミュニズム的渇望の可能性の上には、「歴史の終わり」だけでなく、とりわけ「革命の終わり」が重くのしかかってくる。一九八九年だけでなく、一九三九年、一九三八年、およびそこから一九二一年ないしは一九一七年までと、どんどん遡れる。コミュニズム的な社会を実現しようとする二〇世紀の試みが失敗に終わった後で、コミュニズムがどうあるべきで、これからどうなるのかという問いに、いまなお沈黙で応答してもよいのだろうか？　世代の壁を超え、歴史を素通りし、なにかマルクスの原テクストなるものを直接かつ純粋に、そして冷静に利用しようと動機付けられたコミュニズムとの関わりは可能なのか？　今日なお、スターリニズムとその犠牲者の遺産に対する責任を恥ずかしがって拒絶するコミュニストたちは、自ら名乗りを挙げられるのか？　そんなことが許されるのだろうか？　しかし、革命のもたらす危険について問われると、次はもっと民主主義的に行う、といった月並みな約束がすぐに返ってくる。それは、コミュニズムのあり方に関してはいかなる言明もできず、許されてもいないという答えと同じだ。そうした答えは一層ラディカルに見えるが、表面的なものである。夢のなかで現在を反復する可能性に抵抗する図像化禁止の原則は、過去を反復する可能性をトラウマとして覆い隠す嘘となる。真のコミュニズムに関するすばらしいイメージは提示できないという言い回しは、誤ったコミュニズムの醜悪なイメージに目を閉ざす正当な根拠となる（Adamczak 2007, 141）。あたかも、コミュニストではなく不確かな未来が、なぜ未来のコミュニズムは過去のコミュニズムと異なるのか、という問いに答えるかのようだ。

この本は、「歴史の終わり」という条件のもとで書かれた。いまとなっては、この「終わり」自体が、すでに歴史となっている。すでに始まりを告げている未来から眺めれば、この時代は一九九一年にはじまり、二〇一一年のアラブの春まで、ちょうど二〇年間続いた。二〇世紀の革命がそうであったように——一九一七年と一九六八年、そして限定的だが一九八九年も——、新たな革命も街から街へと、地域から地域へと、国境を越えて広がっていった。以前の革命の波がそうであったように、今回も世界秩序の辺境ではじまった。そしてそこから、多かれ少なかれ成功を収め、中心である「悪の巣窟」へと進んでいった。シディ・ブ・サイドからカイロへ、そしてベンガジ、ダルアー、アルマナマ、サナアへと。それから、アテネ、マドリッド、テルアビブ、ロンドン、サンティアゴ・デ・チレ、ウィスコンシン、ニューヨーク、フランクフルト、オークランド、モスクワ、リオ・デ・ジャネイロ、イスタンブールを経由して、香港やロジャヴァ、サラエボ、パリに至るまで。一九一七年のロシア革命の革命家の多くは、成功を手にできるのはただ、革命が資本主義世界全体に広がるときだけだと確信しており、ドイツにすべての希望をかけていた――失望に終わったけれど。今日もまた、とりわけヨーロッパのなかで、ドイツは再び特別な役割を演じている。ドイツは、デフレと低賃金政策、強力な通貨、安価な輸出により、ヨーロッパ危機を引き起こす一因となった。そして対応にあたって、緊縮命令で事態を悪化させたにもかかわらず、いちばんに利益を得たのだった。

今日においても、さまざまな反乱の成功はひとえに、どれだけ相互に推進し、激化させ、グローバル化させることができるかどうかにかかっている。運動の条件が異なればそれだけ、相互連関も見通し難いものとなる。SNSなどを用いた動員、公的な場の占領――タハリール広場、ソル広場、シンタグマ広場、リヴァティー・スクエア、タクシム広場――、政党のような中央集権的組織をなんども排除しつつ、社会的な、すなわち政治的かつ経済的な民主化を含みこむ、可能な限り暴力に頼らず、反国家的で、とりわけラディカル・デモクラシー的な組織化。エジプトのデモで、ストライキをするウィスコンシンの労働者たちと連帯するプラカードが掲げられたとき、革命運動のグローバル性が形となって目に見えた。このように、世界には、抗議や組織化の新しい形を示してくれる人たちがいる。そして、その人たちは、自分たちの方法が世界中で受け入れられるということから、ある事実を学ぶ。独裁者の失脚や軍事評議会の瓦解だけでは、もはや名実ともにふさわしい民主主義は実現されない、という事実を。エジプトでの政治的な言論・報道の自由を求める争いと時を同じくして、ギリシャでは新聞が休刊に追いやられた――のちには公共ラジオ・

テレビ放送も。経済的に採算が取れなかったからである。しかし、これまでの闘争の波から学ぶこともある。フランスでのレピュブリック広場の占拠は――先駆的な占領活動の典型で「ラ・ニュイ・ドゥブー運動」のきっかけとなった――、フランスの労働運動の伝統的コードに由来する政治的な意思表明と結びついた。学校や精油所、原子力発電所でのストライキ、ごみ収集や交通分野でのストライキといったコードである。ギリシャでは、二〇〇一年のアルゼンチンの教訓が息を吹き返した。不採算は生産の終わりを必然的に意味するのではなく、新たな始まりでもありえる、という教訓である（vgl. Tsomou 2014）。占拠された工場や食堂、独力で管理されている病院は、危機に圧迫されながらも全く異なる未来の可能性を求める試みではないだろうか？　そうした試みは、孤立すれば消滅せざるをえない。下から主導された数多くの運動を、新たな関係性のもと、相互に結び付けることができるかどうか。それが肝要なのだ。

これまでと同じように、革命的な運動は、内部からの、とりわけ反ユダヤ主義的な腐敗に脅かされている。その一方で、ファシストや反動主義者、イスラム主義者たちによる運動が待ち構えている。ハンガリーやポーランドやクロアチアから、ロシアやトルコやシリアを経由して、アメリカにいたるまで。反動主義者たちが取る経済危機の解決方法は、性差別や人種差別による排除、そして歴史上成功を収めているナショナリズム——軍事的ケインズ主義、競争の締め出し、資本の「生産的」消滅（すなわち戦争）——である。こうした歴史的状況において、ローザ・ルクセンブルクの「社会主義か野蛮か」という有名な言葉が、再び歴史に現れているよう思える。だが、歴史的な社会主義そのものは、野蛮の新たな形態へと流れ込んでいった。それは、世界史上類を見ない、支配の除去を目指す試みで恥をさらした——痛ましく、ずっと尾を引くほどに。しかしながら今日、世界経済の危機と国際的な反乱とともに、資本主義の自由民主主義的なモデルもまた、一九九〇年代にはまだワルシャワ条約機構に属する国家に対してもっていた魅力の多くを失った。危機的状況では、現状の単なる擁護などありえない。最悪の事態は防ぐが悪は保持する、という発想では不十分だ。ファシズムの再来を効果的に防ぐには、ファシズムが制圧すると称する世界を救うのではなく、全く異なる世界を作り出すことが大切なのだ。分断する政治に対しては、ただ連帯の政治だけが助けとなる。さしあたり、資本が「永遠に偏在する状況」は終わった。長い時を経てようやく、歴史は再び開かれているのだ。そう、さまざまな提案に。

日本語版付録インタビュー

『みんなのコミュニズム』の著者、ビニ・アダムザックに聞く

初出 VIEWPOINT MAGAZINE 二〇一七年五月十六日

ジェイコブ・ブルーメンフェルト（以下JB） どうして『みんなのコミュニズム』を書いたのですか？

ビニ・アダムザック（以下BA） この本を書いたのは、歴史上の時代で言うと、ソ連の崩壊からアラブの春がうねりだす、いわゆる「歴史の終わり」と呼ばれる時期です。「今とは違う世界を実現できる」という合言葉のもと、反グローバル化の運動が高まっていました。この合言葉が強い影響力をもったのは、ちょうどそのころ、多くの人が感じていた世の中の雰囲気、すなわち「資本主義の勝利だ」「リベラル民主主義以外の選択肢がなくなった」「望みうるのは、ささやかな変化だけだ」「だれし

も自分のことしか考えていない」「行動を起こす余地があるのは、個人生活においてのみである」といった雰囲気に対抗するものだったからです。「今とは違う世界を実現できる」と表明することは、こうした常識へのチャレンジだったのです。

この本を書くきっかけとなった、ふたつめの社会的状況としては、左派の分裂があります。「歴史の終わり」的な空気や、「現に存在する」強権社会主義体験とも関係しているのですが、多くの人々が、社会の変革をめざして闘い続けていても、それらはたいてい、単一争点の闘争でした。そして、バラバラの単一争点のもとで同盟関係が結ばれ、結局は続かなくなってしまったのです。

二〇〇三年、ノンセクト、アンティファァ、その他のラディカル左派が、フランクフルトで「あいまいなコミュニズム」という集会を企画しました。これはまさに、この問題を提起したものです。彼らの目的は、さまざまな無宗派の左翼、反人種差別主義者、反性差別主義者、環境保護活動家、および反資本主義者を結集して、コミュニズムのより広範で、よりラディカルな視野を拓こうとするものでした。わたしの本は、この文脈に沿って書かれました。未来のカール・マルクス主義を理論的に解釈しようとスタートしましたが、たちまち書けなくなってしまいました。こんな「歴史の終わり」のような時代に、欲望をそぎ落としたことばで、もうひとつの世界への願望、支配から解放され、団結した世界について書こうなんて、不可能だと気がついたのです。

JB つまり実際には、子どものために書かれたものではない？（注：英語版でのタイトルは *Communism for Kids*『子どものためのコミュニズム』）

BA はい。子どものためではなく、みんなのための本です。

もちろん、子どもでも読めます。子どもって、面倒な質問をすることがありますよね。「資本主義ってなに？」とか「恐慌ってどういうこと？」とか。そんなとき、この本を毎日1章ずつとか、大人が子どもに読んでやることもできるでしょう。でも、もし子どもの本として書くのだったら、もっと別の書き方をしたと思います。

子どもの本というより、やさしく、シンプルな「子どものことば」を楽しむ人、みんなのための本です。読者の年齢は関係ありません。ラディカルな夢をみることは実際に可能であり、価値があると説いているのです。言うまでもないことですが、世界を変えたくて、変化の理論的なモデルについて議論するのに、政治学を学ぶ必要はありません。さらに、やさしいテキストだけでは心もとない人のために、大人のことばで書かれた理論的なエピローグも用意しています。

タイトルに「子どものための」とあるのは、年齢を問わず、だれでも子どものように楽しめる、ということを伝えるためです。読書をするのはたいてい夜、10時ごろからになってしまいます。なので、わたしはこんなふうに言って、本を読み始めることがあります。「こんなに遅くまで起きていられてよかったね。コミュニズムならみんな、夜早く寝なくてもいいんだよ」って。この本は、ラディカルな夢をもって、世界は現状のまま（つねにそうなのですが）でなければいけない、なんて嘘をものともしない読者に向けられているのです。

JB 本書では、コミュニズムを実現するための、いくつかのトライが紹介されています。これらのコミュニズムのモデルは、どこからきているのですか？

BA　大部分は、大まかにですが、社会民主主義、サンディカリズム、国家社会主義、ラッダイト運動、さまざまなテクノ快楽主義など、歴史、あるいはユートピアをモデルにしています。いずれのトライも、コミュニズムへの夢のある局面で行きづまるのですが、すると人々はそれを止めて、別のトライを考えます。しかし、試行錯誤しながら学習していきます。トライしては、問いを発するわけです。ユートピアの思想家をモデルにすることは、資本主義の苦しみをなくしてくれるの？　それはどんな苦しみに効くの？　資本主義によって暮らしは前よりよくなった？　だとしたら、どんなふうに？　かつての苦しみがよみがえったり、新しい苦しみが生まれたりしていない？　なににうんざりしているの？　など歴史やユートピアのモデルが、話し合いをするのです。ここでは互いを批判することが可能です。自身の強みを示し、限界を明らかにします。そうして、先のトライの欠陥を克服しようと、新たなトライが登場します。もちろん、歴史の経過に比べると、本のなかで変化をもたらす人々の学習スピードは速く、もっとも長いものでも6ページです（注：英語版では6ページ分）。

JB　具体的に紹介してもらえますか？

BA　たとえば、こんなフレーズがあります。

いまみんなは、鳩型おからクッキーと、ぶどうジュースのシミ、映画チケットの間で寝そべってる。ゆっくりと立ち上がって、ちょっと考えてみようとする。でも、もうそんなにきちんと考えられなくって、また資本主義の時と同じくらい鈍くなってしまいそうだった。だから、最初のほうの提案もまだ、ちゃんと閃いたアイデアじゃなかった。例えば、こんなかんじ。「とりあえず、みんなが平等に物を手にいれた。だから、もっと働こうと思う理由がなくなっちゃった。それで、みんなこんなになまけものになったんだ。きっかり自分たちで作ったぶんだけ物を手にするっていうのが、いちばんいいなって思うよ」

さあ、はじまった。でも、ちょっと待って。ゆっくりと、みんなの目が覚めてくる。いまでは、なにか気に入らないことがあったら、いつでもそれを伝えられるんだ。「でも、その提案は全然よくないよ」、ある人が叫ぶ。「ほかの人たちと比べて、たくさん、すばやく働くことができない人たちだっている。それに、そんなに高望みしてなくって、そんなにたくさんの物は全然必要じゃない、って人もいる。特にすばやく、たくさん働きたいと思い、そうできる人が、ほかの人たちよりもずっとたくさんの物を手にいれるとすれば、それは不公平なんじゃない？」「そうだね！」、返事が聞こえてくる。「しかも、すべてがまた、このいまいましい物を中心に回っている。一人の人間がどれだけ作り、どれだけ手にいれるか、それが中心になってるんだ。どんなふうに暮らしたいか、という問題は、また大事にされなくなってきた」

JB　エピローグで、資本主義に対する批判のほとんどは、一面のみにスポットを当てたものなので、資本主義のある部分だけが強調されてしまう、と述べています。これはどういうことですか？　そうならないためには、どうすればいいのでしょう？

BA　エピローグでは、反資本主義の形態を、生産主義、流通主義、消費運動からなされる批判に分類しています。それぞれ、資本主義の特定の契機を理想化したものので、それをほかの諸契機と対抗させています。たとえば、流通に焦点を当てた反資本主義の批判形態は、次のようなものです。ひどい経済的不平等と闘うためには、富裕層への増税、金融取引への課税などが必要だ。そうすれば、政府はお金を再分配し、よりよいインフラ、社会保障などに投資することができる。この説は、一見もっともらしく聞こえます。しかし、そもそもこの不平等は、どこからきているのでしょうか？　だれが富を生み、だれが独占しているのでしょう？　さらに強い国家は本当に、わたしたちの最善の利益になるのでしょうか？　あるいは、わたしたち自身でシステムをつくるほうが、暮らし向きはよくなるのでしょうか？　こうした問いは、この形態の反資本主義からは生まれません。

過去数十年でより支配的になった、別の資本主義批判は、ブランドカルチャー、広告、エコロジーや健康に関する問題など、消費に焦点を当てています。この視点は非常に重要ですが、社会的な課題を個別化し、道徳的に考察してしまいがちです。多くの場合、階級間の関係や家族関係などおかまいなしで、消費者個人の意志決定が話題の中心なのです。家庭がどことなく自然物のように見なされていて、あたかも人がいつも必ず、大きなドアロックを備えた小さな家で、独りで食事をしたり、排泄をしたり、テレビを見たりしているかのようです。さらに、また別の反資本主義の批判形態では、わたしたちの働き方、職場での疎外感や自発的な決定に焦点を当てています。この批判は一九六八年に非常に高まり、ある意味で大きな成功を収めました。それ以降、わたしたちの働き方は大きく変わり、チームワーク、ソフトスキル志向、フレックスタイム制が脚光を浴びるようになりました。とはいえ、これらの働き方改善はすべて、利益を増やすための戦略として利用されたことに目を向ける必要があります。わたしたちの暮らしをより快適にするためではなく、仕事をより生産的にする手段として利用されているのです。その結果、締め切り、履歴書、プロジェクトなどのプレッシャーにおびえ、燃え尽き症候群や、うつに苛まれているのです。

これらの批判形態があたかも排他的に孤立しているかのように、批判し合うのではなく、それらを総合的にみてはどうか、というのがわたしの提案です。よりよい暮らしとは、より健全な消費や、より居心地のよい職場、より平等な分配を意味するものではありません。資本主義的分裂によって社会の領域が、くっきりと分断されてしまっていること自体が問題なのです。

JB コミュニズムを考えるために、資本主義を徹底的に理解することは、重要でしょうか?

BA 正直言うと、それほど重要ではありません。ソフトウェアプログラマーで、マルクス主義の理論家でもあるクリスティアン・シーフケスは、ウィキペディアやリナックスの概念を普及することに努め、「コモンベース・ピアプロダクション」という用語を発明した人物ですが、彼はかつて、「資本主義を克服するために、それを理解する必要があるでしょうか？」という問題提起をしました。答えは「ノー」でした。結局のところ、資本主義的生産を徹底的、網羅的に分析しなくても、政治問題の一般化に取り組んだり、平等と連帯を基盤とする社会的関係を築くことはできるのです。初期のブルジョワや、起業家、船乗り、日雇い労働者のことを考えてみてください。彼らは封建制を廃止するために、わざわざ新たな生産様式を生みだそうなんてしていません。

とはいえ、資本主義を分析し、コミュニズムと社会的闘争の歴史について、いくらかの知識を持っていれば、繰り返されるあまたの過去の過ちを回避するのに役立つでしょう。たとえば、資本主義的生産構造が具体化されたため、経済的不平等と闘い始める人は、政治問題を道徳的に個人化してしまう傾向があります。そうなると、経済的不平等は、貪欲で「吸血鬼のような」経営者、あるいは「邪悪な」政治家や多国籍企業がもたらしたもの、と映ってしまいます。資本主義を本気で分析すれば、「邪悪な」構造は悪人の仕業ではなく、「悪人」のほうが、邪悪な構造の産物であることがわかります。そうすれば、社会的富を国家的な手段によって、これまでとは違った方法で分配するだけでは十分ではない、と理解するのに役立つでしょう。その方法はあくまで、個人消費者としてのわたしたちに向けられたものに過ぎないからです。そうではなく、資本主義を理解していれば、集合的な問いを投げかけることができます。「わたしたちは、どんな種類の仕事で、どんなニーズを満たしたい？」あるいは「わたしたちは、どんなふうに生きていきたい？」といった問いなら、なおいいですね。

JB　二〇世紀の大きな失敗のあと、コミュニズムのアイデアは、今日的な問題とどのように関わっていますか？

BA　コミュニズムに対するもっとも強力な反対論者は、コミュニズムそのものです。未来のコミュニズムの妨げになるのは、過去のコミュニズムなのです。これは、今とは違う世界を夢みるすべての人に当てはまります。解放への夢が反動的な悪夢に変わってしまった、そんな過去の遺産を共有しているのです。

一九八九年から一九九一年にかけて、ソ連の独裁国家社会主義はついに崩壊しました。これは世界資本主義に対する敗北でもありました。しかし、ソビエトの社会主義は、もっとずっと以前に破綻していたのです。実際、一九六八年、一九五六年、一九五三年、一九四五年、一九三九年、一九三七年、一九二七年、一九二一年、一九一七年に遡って、数々の破綻を経験しています。これらの年にはたいてい、もっとリベラルで、平等主義的色合いの濃い、連帯を基盤としたコミュニズム計画への転換の可能性があったのです。ソ連の崩壊は、改革への、民主化への、革命を無駄にしないための、いくつもの機会を逃した結果とも言えます。一九九〇年ごろには、こうした潜在的な可能性の大部分が影をひそめ、忘れ去られ、テロと官僚主義がはこびる歴史の闇に葬られました。一九六〇年代後半の自由主義的なコミュニズムの復活は、非常に強い勢いで世界を席巻しましたが、この反乱も一九八〇年代後半に、ほぼ終わりを告げました。

そうして、今とは違う世界の可能性として、ふたつの選択肢のうちどちらかを、選ばざるを得なくなったのです。その選択肢とは、腐敗した国家社会主義か、ネオリベ的な資本主義でした。ところが当時、後者はしばしば、社会民主主義の仮面をかぶっていました。このため、鉄のカーテンのもとで暮していた多くの人々にとっては、資本主義にリベラルな民主主義を加味した後者が、有効な選択肢のように思われたのです。逆の見方をすれば、新自由主義的な資本主義以外に選択肢はありませんでした。マーガレット・サッチャーはそのことを正しく理解していました。真のオプションが歴史のページから削除されたのですから。過去数十年で、資本主義が歴史の幕引きをするものとして機能し、多くの人々の生活を改善できるなんて幻想だ、ということが明らかになりました。資本主義が「開化」したのは、資本主義そのものと格闘してきたからにほかなりません。理由は簡単で、ソ連が存在していたからです（ソビエトはしばしば、西側において、姿の見えない第三のソーシャルパートナーとして機能していました）。資本主義が今日の日常生活にもたらす恐怖を繰り返す必要はありません。しかし人々が、自身の不幸と経済および社会の再生産の形態との関係に気づき、それに代わるものを探し始めたとたん、コミュニズムの亡霊に再び取りつかれます。対等の立場で連帯し、暮らしを営みたいと夢みることは、それほど突拍子もないことではありません。他者を見知らぬ人、あるいは競争相手とみなしたり、構造的な不足のため散り散りになるのではなく、共同体のかたちで暮らしをシェアすることができれば。とはいえ、コミュニズムへの夢にはリアルな歴史、すなわち期待外れの遺産もつきまとっています。わたしたちは、このことに向き合う必要があります。歴史に背を向けて、歴史を作ることはできないのです。

JB　二〇〇四年にドイツで『みんなのコミュニズム』を刊行して以降、あなたの作品の中心的なテーマは何ですか?

BA　『みんなのコミュニズム』の主要な目的は、「歴史の終わり」にあたって、未来を再編成することでした。現状の資本主義に代わるものが見つからなさそうだったら、ユートピア的な視点に再び目を向けざるを得ません。思いきって大きな夢をみるにはコツがいります。個人個人の生活設計や、あちこちを少しずつ改革するよりも、もっと大規模なものです。しかし、未来が、うんざりする大文字の現在に引き戻されたとたん、過去もよみがえってきます。恐れは、希望と同じように未来に投影されますが、同時に過去からも生成されるのです。明日は昨日の複製なのか？資本主義を克服する新たなトライは、やはり最後には、独裁的な国家社会主義に落ち着いてしまうのか？　次に起こる革命は、これまでの革命の過ちを繰り返すのか？十九世紀には、これらの質問は、今日ほど差し迫っていなかったでしょう。レーニンや、スターリンや、毛沢東は、マルクスを一変させました。十九世紀のように、よりよい未来を無邪気に夢みることは、もはや無理なのです。二〇世紀を経験したあと、大衆がラディカルな変化を恐れるのは、本当に虚偽意識なのでしょうか、それとも正しい意識なのでしょうか？

『みんなのコミュニズム』は、次のような質問で締めくくられます。スターリニズムとその犠牲者の遺産に対する責任を負うことなく、ポスト資本主義の世界、すなわちコミュニズムのために闘うことは可能なのか？　国家社会主義を暗に、ごく軽く批判していますが、実践の決定的な領域においてではありません。市場に依存するサンディカリストの試みのように、国家社会主義の試みも、人々が「だめだめ、こんなのコミュニズムじゃない」と言ってお終いになります。でも、このことばが、どれほどの力を持っているでしょうか？　半世紀以上にわたり、強権社会主義国家は、地球の五分の一から三分の一に及んでいたのです。それらの国々はコミュニズム国家ではありませんでした。かといって、コミュニズムではなかった、とも言えません。『みんなのコミュニズム』につづく、*Past Future: On the Loneliness of Communist Specters and the Reconstruction of Tomorrow*（『過去の未来　コミュニズムの亡霊の孤独と明日の再建』、二〇〇七年初版、二〇一一年第二版。未邦訳）では、こうした問題をさらに深く掘り下げています。この本は、遂行的かつ政治的に哀悼を捧げた作品です。過去に埋もれている未来を見つけるため、過去と向き合っているのです。ヒトラー・スターリン協定（独ソ不可侵条約）から始まり、一九三七〜三九年にかけてのスターリンによる恐怖政治、国家社会主義の出現を阻止できなかった左翼の失敗、スターリンの台頭、クロンシュタット、そして最後には一九一七年まで遡ります。コミュニズムの腐敗の歴史に向き合うことで、コミュニズムへの渇望を回復しようとしているのです。わたしたちができれば避けて通りたい問題を提起しているのです。

これの次の二冊の新刊は、ロシア革命百周年を記念してドイツで出版されます。これらの本でわたしは、先の質問に答えようと試みるとともに、いっそう正確を期した質問を投げかけています。ロシア革命は成功したのでしょうか？　本当に？　革命とは？　革命の支配的イメージにおいて、それはどのように知覚されますか？　そのように知覚することとは、革命の成功を後押ししますか、それとも妨げますか？『みんなのコミュニズム』の初版にも登場しますが、革命崇拝とユートピア崇拝を批判しています。また「変容」と「ユートピア」、「革命」と「コミュニズム」、「手段」と「目的」の関係はどのようにあるべきか、ふたつの語の再概念化を提案しています。*1917 and 1968*（『一九一七年と一九六八年』。未邦訳）では、旧左翼と新左翼が互いの限界を克服し、コミュニズムにとってより不可欠な概念をつくるために、相互に批判し合う関係に置かれています。この本は、関係性の革命理論、連帯の政治学、クィア・フェミニストのコミュニズムを唱えたものです。

JB 二〇〇八年の金融危機と二〇一〇年のユーロ危機は、あなたが住んでいるドイツ、特にベルリンに、どのような影響を与えましたか？

BA 世界的な経済危機以来、国際資本は懸命に投資方法を模索してきました。金利が低く、新しい投資先を見つけるのが難しいので、土地や不動産が、こうしたあらゆる余剰資本の安全な避難先になっているようです。ベルリンでは、借り手につねに圧力がかけられており、そのことがよくわかります。ジェントリフィケーション（地域の高級化）、立ち退き、あるいは強制退去が、この街では、社会的闘争の中心となっているのです。これらの闘争は、交換価値と使用価値の矛盾を明確にするため、直接的な反資本主義的側面を持っています。家について決定を下せるのはだれか？　不動産の所有権を持っている人、あるいは、それを利用して住んでいる人はだれか？　ベルリンのなかでも、特にクロイツベルクでの、ジェントリフィケーションに対する反対運動は強力で、抵抗が報われることを証明しました。難民移動による新たな占拠はほとんどありませんでしたが、多くの立ち退きが活動家によって阻止されました。

ここでもわたしたちは、ファシスト的な反資本主義のさまざまな形態に出くわします。道徳的であったり、簡略的であったり、あるいは反ユダヤ主義的であったり。しかし、同時に、これらの腐敗した批判形態に対する強い意識も感じられます。さらに重要なことは、闘争自体が都市を、すなわち住民同士の関係を変えるということです。これまで隣に住む人になど無関心だった隣人同士が、互いを知り、団結するようになってきたのです。このことを理解するのは非常に重要です。連帯は、単に社会変革の手段であるばかりでなく、分裂と団結をくり返しながら連帯することが、解放の目標、コミュニズムの目標でもあるのです。

JB　ヨーロッパ全土やアメリカでみられる、右派ナショナリズムの台頭は、ドイツにも広がっていますか？　それに立ち向かうには、どうすればいいと思いますか？

BA　世界中、特にアメリカではそうですが、セクシュアリティや、エコロジー、社会問題に関して、ドイツはしばしば進歩的だと見られます。これは、記憶と歴史に関する政策に数十年にわたって力を注いできた、政府の広報活動の賜物です。ドイツをよく知るようになると、このイメージが真実とは真逆であることに驚いている人がよくいます。近年では、そのイメージが、世界的な経済危機、特にヨーロッパにおけるドイツの役割を際立たせているのです。ドイツ経済はヨーロッパ最強であり、ドイツは世界でも屈指の経済大国です。デフレ、強力な通貨、低賃金政策、安価な輸出といったドイツの政策は、ヨーロッパ危機の大きな要因となり、それによって自国に豊かな利益をもたらしました。アンゲラ・メルケルは、指導者として比較的リベラルにみられているかもしれませんが、ドイツの危機をやっとのことで、南ヨーロッパ諸国に持ちだしたのです。結果、それらの国々では、多くの人々の暮らしが激変しました。それでもメルケルは、新たに台頭し、国際的に拡大を続ける右派のナショナリストや、潜在的人種差別主義者、あるいはネオファシストの一味ではありません。それらは、危機によって生まれた怪物です。わずか数年で、反ファシズムは国際政治の主要課題、もしかしたら括弧つきの主要課題になったとさえ言えるかもしれません。

ドナルド・トランプが大統領に就任して以来、メルケルは自由世界の真のリーダーと呼ばれています。けれど、誤解のないように言っておくと、危機の時代に、現状の単なる擁護なんてありません。これはまさに、ヒラリー・クリントンが、わたしたちに思い出させてくれた歴史的教訓です。ファシズムに対して、スーパーヒーローの物語は通用しないのです。スーパーヒーローの仕事は、非常に独創的なプランで、世界を劇的に変えようとする、あるいは破壊しようとする、スーパーヴィラン（注：アメコミに登場するボス級の悪役）をやっつけることです。スーパーヒーローは、土壇場でそのプランを阻止し、ハッピーエンド。……そして世界は、以前と同じようなひどい状態に戻る。それではダメなのです。社会民主党、新労働党、保守派、新自由主義の政治というものが、右派の台頭を可能にしたのですから。ネオファシズムと闘うためには、表面的に反対するだけでは社会を守れません。わたしたちが闘うべきは、もっと別のものです。世界を救いたいなら、根本的に世界を変える必要があるのです。

ジェイコブ・ブルーメンフェルト（Jacob Blumenfeld）
ベルリン在住の著述家、翻訳家、哲学者。『みんなのコミュニズム』英語版の訳者のひとり。The New School for Social Research（現ニュースクール大学）博士課程（哲学）修了。ベルリン自由大学ポスドク研究員（二〇一九―二〇二〇）。

本インタビュー翻訳協力　みつじまちこ

参考文献

Adamczak, Bini 2007: Gestern Morgen. Über die Einsamkeit kommunistischer Gespenster und die Rekonstruktion der Zukunft, Münster

Adorno, Theodor 1970: Minima Moralia, Frankfurt （『ミニマ・モラリア』法政大学出版局、１９７９年）

Ders. / Bloch, Ernst 1978: Etwas fehlt … Über die Widersprüche der utopischen Sehnsucht. Ein Rundfunkgespräch mit Theodor W. Adorno, 1964, in: Ernst Bloch: Ergänzungsband zur Gesamtausgabe. Tendenz – Latenz – Utopie, Frankfurt *Biene / Baumeister / Zwi / Negator* 2005: Situationistische Revolutionstheorie. Eine Aneignung. Vol. II: Kleines Organon, Stuttgart

Derrida, Jacques 1994: Politik und Freundschaft. Ein Interview mit Michael Sprinker, in: Henning Böke, Jens Christian Müller, Sebastian Reinfeld (Hg.): Denk-Prozesse nach Althusser, 103-163, Hamburg（『友愛のポリティックス』みすず書房、２００３年）

Diefenbach, Katja 2003: Alles ist gut. Warum eine Politik des Wunsches nichts damit zu tun hat, sich etwas zu wünschen, in: diskus 2/03, 35-37

Diskus, Frankfurter Studierendenzeitung, 1/03: sozialstattstaat, www.copyriot.com/diskus

Dies., 2/03: Simulate Communism

Dollase, Jürgen 2009: Dekonstruiert euch! Die Neuerungen, die Ferran Adrià in die Haute Cuisine eingebracht hat, sind heute überall sichtbar. Doch die wahre Revolution des Geschmacks steht noch bevor, in: F.A.Z., 03.01., 32

Foucault, Michel 2003: Das Wissen als Verbrechen, Gespräch mit S. Terajama, in: Ders.: Dits et Ecrits III, Frankfurt（「犯罪としての知識　M・フーコー＋寺山修司」『ミシェル・フーコー思考集成〈６〉セクシュアリテ・真理』筑摩書房、２０００年に所収）

Haraway, Donna 1995: Die Neuerfindung der Natur. Primaten, Cyborgs und Frauen, Frankfurt/New York（ダナ・ハラウェイ『猿と女とサイボーグ：自然の再発明』青土社、２０００年）

Marx, Karl / Engels, Friedrich 1990: Deutsche Ideologie, MEW 3, Berlin（マルクス／エンゲルス『新編輯版ドイツ・イデオロギー』２００２年、岩波文庫）

Nancy, Jean-Luc 1988: Die undarstellbare Gemeinschaft, Stuttgart（ジャン＝リュック・ナンシー『無為の共同体』朝日出版社、１９８５年）

Postone, Moishe 1993: Time, Labor and Social Domination, Chicago（モイシェ・ポストン『時間・労働・支配：マルクス理論の新地平』筑摩書房、２０１２年）

Rakowitz, Nadja 2000: Einfache Warenproduktion. Ideal und Ideologie, Freiburg

Sinistra, Radikale Linke 2003: Ein Wort zur Radikalität, www.copyriot.com/sinistra/reading/studi6.html

Tsomou, Margarita 2014: Exodus. Leben jenseits von Staat und Konsum?, in: West-End, Neue Zeitschrift für Sozialforschung, 79-92

ビニ・アダムザック　Bini Adamczak

1979年生まれ。ドイツで活動するアクティビスト。本書『KOMMUNISMUS』は世界15か国以上で翻訳された。他の著書にGestern Morgen. Uber die Einsamkeit kommunistischer Gespenster und die Rekonstruktion der Zukunft（2015）,Beziehungsweise Revolution. 1917, 1968 und kommende (2017), Der schonste Tag im Leben des Alexander Berkman. Vom womoglichen Gelingen der Russischen Revolution.(2017) など。

橋本紘樹　はしもと・ひろき

1992年滋賀生まれ。2017年～2019年日本学術振興会特別研究員（DC2）。2018年～大阪大学大学院医学系研究科医の倫理公共政策学特任研究員、2019年～京都大学他非常勤講師。
訳書：『アーレント＝ショーレム往復書簡』岩波書店、2019年（共訳：細見和之・大形綾・関口彩乃・橋本紘樹）
主要論文：「アドルノにおける二つのハイネ講演、あるいは文化批判と社会」日本独文学会機関誌『ドイツ文学』第156号（第59回ドイツ語学文学振興会奨励賞受賞）

斎藤幸平　さいとう・こうへい

1987年生まれ。大阪市立大学経済学研究科准教授。日本MEGA編集委員会編集委員。2018年、ドイッチャー記念賞を受賞。単著に『大洪水の前に』（堀之内出版、2019年）、編著に『未来への大分岐』（集英社、2019年）など。

みんなのコミュニズム
——この世界はどう変わるの？　ちょっとしたおはなし。

2020年3月25日　初版第1刷発行

著者　ビニ・アダムザック
訳者　橋本紘樹
企画・翻訳協力　斎藤幸平
発行所　堀之内出版
〒192-0355
東京都八王子市堀之内3丁目10-12 フォーリア23 206
TEL: 042-682-4350 ／ FAX: 03-6856-3497
http://www.horinouchi-shuppan.com/

装丁　山田和寛＋平山みな美（nipponia）
装画　榎本俊二
組版　トム・プライズ
印刷　株式会社シナノパブリッシングプレス

ISBN 978-4-909237-46-0　©2020 Printed in Japan

落丁・乱丁の際はお取り換えいたします。
本書の無断複製は法律上の例外を除き禁じられています。

Kommunismus
Published by Horinouchi-shuppan Tokyo, Japan
Tel +81 42 682 4350
http://www.horinouchi-shuppan.com/